A la recherche de Paris

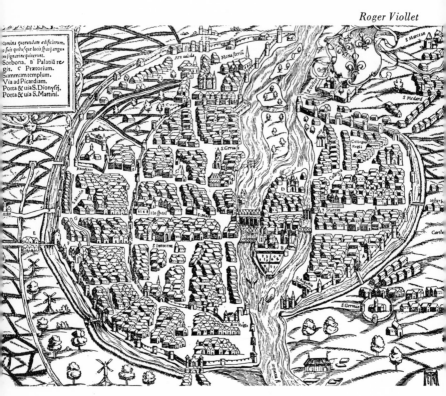

Plan de Paris en 1530 par Sébastien Munster

A la recherche de
PARIS

A FRENCH CULTURAL READER

R. C. CHOLAKIAN
Hamilton College

L. A. UFFENBECK
University of Wisconsin

NEW YORK   OXFORD UNIVERSITY PRESS   1966

PREFACE

For generations Paris has enjoyed the favor of artists and writers; no other city has been described more often in literature. Indeed, the mystique of Paris, a certain indefinable quality, explainable in terms of neither history, geography, nor culture, though all have played their role, has made this city not only the political capital of France, but at many times the intellectual center of the world.

It is not the purpose of this text to attempt a "definition" of Paris. The fact is that historical, cultural, architectural, and sociological studies of the city abound. Rather its modest objective has been to bring together some samplings drawn from the works of twenty-eight famous French writers, who from the sixteenth century to the present day have recaptured various aspects of life in Paris.

From the nearly inexhaustible supply of material, the editors have chosen these thirty-four texts on the basis of literary quality and linguistic suitability. In addition, they have tried to bear in mind the needs and general interests of the American student.

The selections have been arranged in chronological order, in the hope that the reader will gain a sense of the city's past. The individual teacher should not feel bound, however, to follow this order. Some selectivity, in fact, would seem advisable, given the varying difficulty of the passages. The extracts from Bernardin de Saint-Pierre, George Sand, and Anatole France are easily within the reach of the first-year college student. Balzac, Zola, and Nerval require a much broader knowledge of the language. Finally, certain pieces, because of style or language—those for example of Montaigne, Valéry, and Giraudoux—assume a good deal of preparation on the part of the student.

The introductions are limited to the essential features of each author's life and works. Allusions to persons and places as well as words and idioms that might not be understood at the level of the third semester have been explained in the notes. Questions for each assignment and a general vocabulary appear at the end of the book.

Titles for many of the selections have been supplied by the editors, who have added the title of the full work at the end of each extract.

The editors are grateful to the students in the intermediate courses at Hamilton College and the University of Minnesota for their co-operation in testing this material in class.

We wish to acknowledge the assistance of Martine Patton, who prepared the end vocabulary, and of Madeleine Küng of the Hamilton College N.D.E.A. Institute and David E. Campbell of the University of Wisconsin, who read the manuscript and made many valuable suggestions.

We wish also to thank Cécile Le Paire, Francine Ménétrier, and François Rigolot, all of the University of Wisconsin, for their thorough review of the proofs.

R.C.C.

L.A.U.

CONTENTS

ILLUSTRATIONS

The picture on the front cover is enlarged from a map, courtesy of the Bibliothèque Nationale.

Le vieux Paris n'est plus (la forme d'une ville
Change plus vite, hélas! que le cœur d'un mortel)...

BAUDELAIRE

A la recherche de Paris

MICHEL DE MONTAIGNE
1533-92

Michel de Montaigne was born in the Château de Montaigne in Périgord in 1533. As a boy he learned Latin before he could speak French. After studying at the Collège de Guyenne in Bordeaux and at the university in that city, he was sent to Toulouse to complete his education. He entered the magistrature in Bordeaux and soon thereafter, at the age of twenty-one, accompanied his father, now mayor of Bordeaux, on a trip to Paris. He returned to Paris several times, once residing there for a year and a half. After his father's death, Montaigne, aged only thirty-eight, resigned his post in the magistrature and retired to his château. There, in his library in a tower lined with the works of his favorite authors, Plutarch, Seneca, and Vergil, he began the composition of the book which would make him famous. In order to develop his own thoughts and recall what he had read, Montaigne began taking notes on his reading and commenting thereon. From these somewhat rambling comments he eventually put together the first edition of his *Essais* (1580).

Following the publication of this first edition, Montaigne traveled extensively, visiting many places in France, Germany, Switzerland, and Italy. His travels were suddenly curtailed when news reached him that he had been elected mayor of Bordeaux. Montaigne served two terms in this office, but active political life was not suited to his temperament. Returning to his Château de Mon-

taigne, he spent the rest of his life in the quiet of his library.
A much enlarged edition of his *Essais* appeared in 1588. In 1592,
when he died, Montaigne was still augmenting these *Essais*, whose
subject (the first page tells us) is himself.

The following brief excerpt from the *Essais* reveals Montaigne
as one of the first French authors to express a strong love for Paris
and to admire her, not for her noble squares and princely palaces,
but for certain intangible, eternal qualities: « *Paris que j'imagine,
je l'imagine et le comprends sans grandeur et sans lieu, sans pierre,
sans plâtre et sans bois* » (II, 12).

Aimer Paris

Je ne veux pas oublier ceci, que je ne me mutine jamais tant contre
la France que je ne regarde Paris de bon œil; elle a mon cœur dès
mon enfance; et m'en est advenu, comme des choses excellentes: [1]
plus j'ai vu, depuis, d'autres villes belles, plus la beauté de celle-ci
peut et gagne sur mon affection; je l'aime par elle-même, et plus   5
en son être seul que rechargée [2] de pompe étrangère; je l'aime
tendrement, jusqu'à ses verrues [3] et à ses taches; je ne suis Français que par cette grande cité, grande en peuples, grande en félicité de son assiette,[4] mais surtout grande et incomparable en
variété et diversité de commodités: [5] la gloire de la France, et   10
l'un des plus nobles ornements du monde. Dieu en chasse [6] loin
nos divisions! [7] Entière et unie,[8] je la trouve défendue de toute
autre violence: je l'avise [9] que de tous les partis, le pire sera celui

1. *m'en est advenu, comme des choses excellentes:* there has happened to me
in this as with excellent things.   2. *rechargée:* encumbered.
3. *verrues:* warts.   4. *assiette:* geographical setting.
5. *commodités:* amenities.   6. *Dieu en chasse = Que Dieu en chasse.*
7. *nos divisions:* religious controversies between Catholic Leaguers and
Protestants, particularly violent after 1588.
8. *Entière et unie = Si elle est entière et unie.*   9. *l'avise:* warn.

qui la mettra en discorde; et ne crains pour elle qu'elle-même; et crains pour elle autant certes que pour autre pièce [10] de cet état. Tant qu'elle durera, je n'aurai faute [11] de retraite où rendre mes abois,[12] suffisante à me faire perdre le regret de toute autre retraite.

Essais, III, 9

10. *pièce:* part.   11. *faute:* lack, need, want.   12. *rendre mes abois:* die.

JACQUES-BÉNIGNE BOSSUET

1627-1704

Jacques-Bénigne Bossuet, Bishop of Meaux, is the great Christian orator of the seventeenth century whose sermons and funeral orations rank him among the most distinguished preachers of all time. Born in Dijon, the son of a judge, Bossuet came to Paris to train for the priesthood. His oratorical gifts first attracted attention when, as a boy of sixteen, he delivered a sermon before the intellectual élite of Paris gathered in the salon of the celebrated Madame de Rambouillet. After being ordained a priest in Metz, Bossuet moved to Paris where his sermons made him famous. He spent eleven years at the court at Versailles as tutor to the Dauphin. In 1681 he was appointed bishop of Meaux, near Paris.

Bossuet's literary reputation rests almost entirely upon the series of funeral orations delivered at the death of certain celebrated personnages, among them the *Oraison funèbre d'Henriette d'Angleterre* (1670) and the *Oraison funèbre du prince de Condé* (1687). With these *Oraisons funèbres,* Bossuet brought the eloquence of church preaching to a point of classical literary perfection. His true interests, however, were less literary than spiritual. He was a profoundly religious man dedicated to the salvation of souls. His abhorrence of the atheism and dissipated living of the *libertins* of the late seventeenth century led him to preach some of his most moving sermons. The imprecation against Paris which follows is characteristic of this great churchman's attitude toward a city better known for its frivolity and sinfulness than for its sobriety of manners and religious devotion.

Quand te verrai-je renversée?

O ville utilement renversée! Paris, dont on ne peut abaisser l'orgueil, dont la vanité se soutient toujours malgré tant de choses qui la devraient déprimer, quand te verrai-je renversée? Quand est-ce que j'entendrai cette bienheureuse nouvelle: Le règne du péché est renversé de fond en comble; [1] ses femmes ne s'arment plus contre la pudeur, ses enfants ne soupirent plus après les plaisirs mortels et ne livrent plus en proie leur âme à leurs yeux: [2] cette impétuosité, ces emportements, ce hennissement des cœurs lascifs est supprimé.

Commémoration des morts. La Résurrection dernière

1. *renversé de fond en comble:* utterly overthrown.
2. *ne livrent plus en proie leur âme à leurs yeux:* no longer render their souls prey to their eyes.

JEAN DE LA BRUYÈRE

1645-96

Jean de La Bruyère came from middle-class Parisian stock. Upon completing his law studies at the University of Orléans in 1665, he accepted a post in the revenue department at Caen. But "Parisian to the marrow of his bones," * La Bruyère continued to live in his native city. Through the assistance of Bossuet he became in 1684 tutor to the grandson of the prince de Condé. La Bruyère was able to enjoy thus a special vantage point for gathering the material which makes up the satirical sketches of his single masterpiece, *Les Caractères* (1688). For the remainder of his life he devoted himself to expanding and polishing these brilliantly incisive descriptions of French nobility and the rapidly growing middle class. Despite his background, or perhaps because of it, La Bruyère showed little sympathy for the new social order. He expressed respect for royalty and deep compassion for the common peasant, but seemed to have nothing but contempt and disdain for the rapacious *bourgeois de la Ville.*

* Edmund Gosse, *Three French Moralists* (London, 1918), p. 59.

Promenades en ville

L'on se donne à Paris, sans se parler, comme un rendez-vous public, mais fort exact, tous les soirs, au Cours [1] ou aux Tuileries,[2] pour se regarder au visage et se désapprouver les uns les autres.

L'on ne peut se passer de ce même monde que l'on n'aime point, et dont l'on se moque.

L'on s'attend au passage réciproquement dans une promenade publique; l'on y passe en revue l'un devant l'autre: carrosse, chevaux, livrées, armoires,[3] rien n'échappe aux yeux, tout est curieusement ou malignement observé; et, selon le plus ou le moins de l'équipage,[4] ou l'on respecte les personnes, ou on les dédaigne.

.   .   .

Dans ces lieux d'un concours [5] général, où les femmes se rassemblent pour montrer une belle étoffe, et pour recueillir le fruit de leur toilette, on ne se promène pas avec une compagne par la nécessité de la conversation; on se joint ensemble pour se rassurer sur le théâtre,[6] s'apprivoiser avec le public, et se raffermir contre la critique: c'est là précisément qu'on se parle sans se rien dire, ou plutôt qu'on parle pour les passants, pour ceux mêmes en faveur de qui l'on hausse sa voix, l'on gesticule et l'on badine, l'on penche négligemment la tête, l'on passe et l'on repasse. . . .

Les Caractères, 1688

1. *Cours = Cours-la-Reine:* a fashionable tree-lined promenade between the Seine and the Champs-Élysées.
2. *Tuileries = Jardin des Tuileries:* This magnificent garden, one of the finest examples of a "jardin français," was the fashionable promenade for nobles and bourgeois.   3. *armoires:* coat of arms.
4. *selon le plus ou le moins de l'équipage:* according to the quality of the carriage and horses.   5. *concours:* concourse, gathering.
6. *le théâtre:* the stage (where they are playing a rôle).

MONTESQUIEU

1689-1755

Charles Louis de Secondat, baron de Montesquieu, was born at
the Château de la Brède, near Bordeaux, on January 18, 1689.
For his christening, a beggar passing by was brought in to be his
god-father "in order that he might always remember that the poor
are his brothers."

Montesquieu's early education was at the hands of the Oratori-
ans in the Collège de Juilly, near Paris. Later, he studied law at
the universities of Bordeaux and Paris before inheriting a magistrate's post in Bordeaux.

When he showed a friend the manuscript of a collection of
imaginary letters on which he had been working, the latter is
reported to have commented: « Cela se vendra comme du pain. »
This prediction was not far from wrong, for the publication of
the *Lettres persanes* in 1721 brought Montesquieu immediate fame.
Through the eyes of Usbek and Rica, two Persian visitors to Paris,
Montesquieu (who had taken the precaution to publish his book
anonymously) was able to criticize Parisian institutions and mores
without bringing down upon himself the wrath of the censors. In
1728, he was admitted to the Académie Française. Not long thereafter, Montesquieu set out on a tour of Europe, taking four years
in all, nearly half of the time in England. When he returned to
France, he went into studious retirement at la Brède. From these
years of reading and contemplation (his hair had turned white in
the task, he said) emerged the two volumes of his monumental

study, *De l'Esprit des lois* (1748). His basic tenet was that it is not laws or constitutions that count, but the spirit, the principle behind them. In the digressions, which are often the most enjoyable part of this book, he attacked many of the abuses of his day, as he had done in the *Lettres persanes*.

Montesquieu may not have been one of the greatest of social reformers, but all his life he retained a sense of social consciousness which distinguished him from his fellow aristocrats. Truly, Montesquieu never forgot his pauper god-father, nor his kinship with the poor.

The letters which follow are only two of the more than 150 *Lettres persanes*. The ingeniousness of the comments, the precision and clarity of the style, the decidedly irreverent attitude toward a great city and its inhabitants account in some measure for the *succès de scandale* of this little book.

Un Persan à Paris

Rica à Ibben
à Smyrne

Nous sommes à Paris depuis un mois, et nous avons toujours été dans un mouvement continuel. Il faut bien des affaires avant qu'on soit logé, qu'on ait trouvé les gens à qui on est adressé, et qu'on se soit pourvu des choses nécessaires, qui manquent toutes à la fois.

Paris est aussi grand qu'Ispahan: [1] les maisons y sont si hautes 5 qu'on jurerait qu'elles ne sont habitées que par des astrologues. Tu juges bien qu'une ville bâtie en l'air, qui a six ou sept maisons les unes sur les autres, est extrêmement peuplée; et que, quand tout le monde est descendu dans la rue, il s'y fait un bel embarras.

Tu ne le croirais pas peut-être: depuis un mois que je suis ici, 10 je n'y ai encore vu marcher personne. Il n'y a point de gens au

1. *Ispahan:* former capital of Persia.

Une Rue à Paris au dix-septième siècle

monde qui tirent mieux parti de leur machine [2] que les Français:
ils courent, ils volent; les voitures lentes d'Asie, le pas réglé de
nos chameaux, les feraient tomber en syncope.[3] Pour moi, qui ne
suis point fait à ce train,[4] et qui vais souvent à pied sans changer
d'allure, j'enrage quelquefois comme un chrétien: car encore   5
passe [5] qu'on m'éclabousse depuis les pieds jusqu'à la tête; mais
je ne puis pardonner les coups de coude que je reçois régulièrement et périodiquement. Un homme qui vient après moi et qui me
passe me fait faire un demi-tour; et un autre qui me croise de
l'autre côté me remet soudain où le premier m'avait pris; et je   10
n'ai pas fait cent pas, que je suis plus brisé que si j'avais fait dix
lieues.

Ne crois pas que je puisse, quant à présent, te parler à fond des
mœurs et des coutumes européennes: je n'en ai moi-même qu'une
légère idée, et je n'ai eu à peine que le temps de m'étonner. . . .   15

Je continuerai à t'écrire, et je t'apprendrai des choses bien
éloignées du caractère et du génie persan. C'est bien la même terre
qui nous porte tous deux; mais les hommes du pays où je vis, et
ceux du pays où tu es, sont des hommes bien différents.

De Paris, le 4 de la lune de Rebiab [6] 2, 1711.

Rica au même
à Smyrne

Les habitants de Paris sont d'une curiosité qui va jusqu'à l'extra-   20
vagance. Lorsque j'arrivai, je fus regardé comme si j'avais été
envoyé du ciel: vieillards, hommes, femmes, enfants, tous voulaient
me voir. Si je sortais, tout le monde se mettait aux fenêtres; si

---

2. *machine:* body.   3. *tomber en syncope:* fall in a faint.
4. *fait à ce train:* used to this pace.
5. *encore passe:* that's all right, that's all well and good.
6. *Rebiab:* Persian lunar month.

j'étais aux Tuileries,[7] je voyais aussitôt un cercle se former autour
de moi; les femmes mêmes faisaient un arc-en-ciel, nuancé de mille
couleurs, qui m'entourait. Si j'étais aux spectacles, je trouvais
d'abord cent lorgnettes dressées contre ma figure: enfin, jamais
homme n'a tant été vu que moi. Je souriais quelquefois d'entendre   5
des gens qui n'étaient presque jamais sortis de leur chambre, qui
disaient entre eux: « Il faut avouer qu'il a l'air bien persan. » Chose
admirable! Je trouvais de mes portraits partout! je me voyais
multiplié dans toutes les boutiques, sur toutes les cheminées, tant
on craignait de ne m'avoir pas assez vu.   10

Tant d'honneurs ne laissent pas d'être à charge:[8] je ne me
croyais pas un homme si curieux et si rare, et, quoique j'aie très
bonne opinion de moi, je ne me serais jamais imaginé que je dusse [9]
troubler le repos d'une grande ville où je n'étais point connu. Cela
me fit résoudre à quitter l'habit persan et à en endosser un à   15
l'européenne, pour voir s'il resterait encore dans ma physionomie
quelque chose d'admirable. Cet essai me fit connaître ce que je
valais réellement. Libre de tous les ornements étrangers, je me vis
apprécié au plus juste. J'eus sujet de me plaindre de mon tailleur,
qui m'avait fait perdre en un instant l'attention et l'estime pu-   20
blique; car j'entrai tout à coup dans un néant affreux. Je demeurai
quelquefois une heure dans une compagnie sans qu'on m'eût regardé et qu'on m'eût mis en occasion d'ouvrir la bouche: mais si
quelqu'un par hasard apprenait à la compagnie que j'étais Persan,
j'entendais aussitôt autour de moi un bourdonnement: « Ah! ah!   25
monsieur est Persan! C'est une chose bien extraordinaire! Comment peut-on être Persan! »

De Paris, le 6 de la lune de Chalval, 1712.

Lettres persanes, 1721

7. *Tuileries:* former residence of the French kings. The Tuileries gardens,
designed by Le Nôtre, were a public promenade.
8. *être à charge:* to be a burden.   9. *dusse:* (impf. subj.) would.

JEAN-JACQUES ROUSSEAU
1712-78

Jean-Jacques Rousseau, one of the most complex and intriguing
personalities in French literary history, was born in Geneva, in
Calvinistic, French-speaking Switzerland. His mother died giving
him birth and Rousseau was brought up by his father, a watch-
maker, who encouraged his natural penchant for daydreaming.
Rousseau had little formal education. He was apprenticed to an
engraver when he was thirteen, but at the age of sixteen he left
his native city to begin a vagabond existence which was to continue until his death. In Annecy, in Savoy, he found a protectress
in Madame de Warens who sent him to Turin, where he converted
to Catholicism. Later she installed him at Les Charmettes, her
country house near Chambéry. This was the happiest period in
Rousseau's life: he read extensively, studied history, philosophy,
and geometry, and botanized. After a stint as a tutor in Lyon,
Rousseau set out for Paris on July 10, 1742, carrying with him
a new system of musical notation which he hoped would make
his fortune. Rousseau's imagination had created its own Paris. His
immediate aversion to the real « *ville de bruit, de fumée et de
boue* » was profound and lasting. Yet, after serving for a time as
secretary to the French ambassador in Venice, Rousseau returned
to Paris. As he himself was forced to conclude: « *Si vous avez une
étincelle de génie, allez passer une année à Paris: bientôt vous
serez tout ce que vous pouvez être, ou vous ne serez jamais rien* »
(*Émile*, Livre IV).

Fame came suddenly to Rousseau with the publication of the *Discours sur les sciences et les arts* (1750) and the *Discours sur l'inégalité* (1754), two essays proclaiming the disastrous effects of civilization on human society. Retiring first to L'Ermitage, near Paris, and then to Montmorency, he lived in a small cottage lent to him by his hostess, the Maréchale de Luxembourg. Here he produced three of his most significant works: *La Nouvelle Héloïse* (1761), an epistolary novel, *Le Contrat social* (1762), a political treatise, and *Émile* (1762), a treatise on education. The unorthodox religious views expressed in *Émile* forced Rousseau into exile. He moved restlessly from France to Switzerland and then to England before finally seeking refuge at Ermenonville, near Paris, where he died in 1778.

Rousseau's deep-seated need for self-analysis and self-justification led him to create two of his most revealing works, *Les Confessions* (1781-8) and *Les Rêveries du promeneur solitaire* (1782), both of which were published posthumously.

Déception de Paris

Combien l'abord de Paris démentit l'idée que j'en avais! La décoration extérieure que j'avais vue à Turin,[1] la beauté des rues, la symétrie et l'alignement des maisons, me faisaient chercher à Paris autre chose encore. Je m'étais figuré une ville aussi belle que grande, de l'aspect le plus imposant, où l'on ne voyait que de superbes rues, des palais de marbre et d'or. En entrant par le faubourg Saint-Marceau,[2] je ne vis que de petites rues sales et puantes, de vilaines maisons noires, l'air de la malpropreté, de

5

1. *Turin:* Rousseau spent nearly a year in Turin (1728-9).
2. *le faubourg Saint-Marceau:* the suburb of Saint-Marceau, to the southeast of Paris.

la pauvreté, des mendiants, des charretiers,[3] des ravaudeuses,[4] des
crieuses [5] de tisanes [6] et de vieux chapeaux. Tout cela me frappa
d'abord à tel point, que tout ce que j'ai vu depuis à Paris de
magnificence réelle n'a pu détruire cette première impression, et
qu'il m'en est resté toujours un secret dégoût pour l'habitation de   5
cette capitale. Je puis dire que tout le temps que j'y ai vécu dans
la suite [7] ne fut employé qu'à y chercher des ressources pour me
mettre en état d'en vivre éloigné. Tel est le fruit d'une imagination
trop active, qui exagère par-dessus l'exagération des hommes, et
voit toujours plus que ce qu'on lui dit. On m'avait tant vanté   10
Paris, que je me l'étais figuré comme l'ancienne Babylone, dont
je trouverais peut-être autant à rabattre,[8] si je l'avais vue, du
portrait que je m'en suis fait. La même chose m'arriva à l'Opéra,
où je me pressai d'aller le lendemain de mon arrivée; la même
chose m'arriva dans la suite à Versailles; dans la suite encore en   15
voyant la mer; et la même chose m'arrivera toujours en voyant
des spectacles qu'on m'aura trop annoncés: car il est impossible
aux hommes et difficile à la nature elle-même de passer en richesse
mon imagination.

A la manière dont je fus reçu de tous ceux pour qui j'avais des   20
lettres,[9] je crus ma fortune faite. . . . [J]e fus bientôt désabusé de
tout ce grand intérêt qu'on avait paru prendre à moi. Il faut
pourtant rendre justice aux Français; ils ne s'épuisent point tant
qu'on dit en protestations,[10] et celles qu'ils font sont presque toujours sincères; mais ils ont une manière de paraître s'intéresser à   25
vous qui trompe plus que des paroles. Les gros compliments des
Suisses n'en peuvent imposer qu'à des sots. Les manières des
Français sont plus séduisantes en cela même [11] qu'elles sont plus
simples; on croirait qu'ils ne vous disent pas tout ce qu'ils veulent

---

3. *charretiers:* cart drivers.   4. *ravaudeuses:* clothes menders.
5. *crieuses:* street vendors.   6. *tisanes:* herb drinks.
7. *dans la suite:* subsequently.   8. *rabattre:* reduce, diminish.
9. *lettres* = *lettres de recommandation.*
10. *ils ne s'épuisent . . . en protestations:* they do not wear themselves out with
promises as much as people say.   11. *en cela même:* by the very fact.

faire, pour vous surprendre plus agréablement. Je dirai plus; ils
ne sont point faux dans leurs démonstrations; ils sont naturellement officieux, humains, bienveillants, et même, quoiqu'on en dise,
plus vrais qu'aucune autre nation; mais ils sont légers et volages.
Ils ont en effet le sentiment qu'ils vous témoignent; mais ce   5
sentiment s'en va comme il est venu. En vous parlant ils sont
pleins de vous; ne vous voient-ils plus, ils vous oublient. Rien
n'est permanent dans leur cœur: tout est chez eux l'œuvre du
moment.

Les Confessions, 1781-8

RESTIF DE LA BRETONNE

1734-1806

Like Balzac, with whom he has been compared, Restif de la Bretonne came from peasant stock. Born in the Auxerre region of Burgundy, he arrived in Paris as a young man to work as a printer. He found employment in the royal printing house but was soon leading a bohemian life, exploring the Parisian underworld, and involving himself in a series of amorous adventures. Finally, in 1767, he turned to writing. His first great successes, *Le Paysan perverti* (1775) and its sequel, *La Paysanne pervertie* (1776), both of which were subtitled *Les Dangers de la ville*, treated the familiar theme of the corrupting influence of life in the big city. The forty-two volumes of *Les Contemporaines* (1780-85), a description of some of the two hundred and fifty least-known professions of Parisian women, revealed Paris to the Parisians. So too did the eight volumes of *Les Nuits de Paris* (1788-94), a kind of journal of popular life in Paris before and during the Revolution. In spite of a sometimes coarse and uneven style, this book must stand next to Sébastien Mercier's *Tableau de Paris* as one of the most important pictures of Parisian manners and morals in the last decades of the eighteenth century.

Restif, who liked to refer to himself as « *l'observateur nocturne,* » was one of the first writers to capture the strange fascination of Paris after dark. Wandering alone about the city streets at night, he saw and catalogued a Paris unknown to most of his

contemporaries. What he has left us is as faithful a portrait of
Parisian society from 1770 to 1799 as was to be Balzac's vast
panorama of the Paris of 1799 to 1848.

Débuts parisiens

Un jeune homme de l'Auxerrois [1] était venu à Paris un peu au
hasard. Il avait quitté la métropole des bas Bourguignons,[2] où
il était clerc de procureur,[3] à la mort de sa mère, qui fournissait
à son entretien, et qui l'aimait beaucoup. Son père, âgé tout au
plus de quarante ans, et qui n'avait que ce fils, ne tarda pas à se   5
remarier à une jeune personne de dix-huit ans, qui détesta de tout
son cœur le fils du premier mariage. Le jeune De Billi, autant de
chagrin du changement de son sort que pour tenter la fortune,
s'embarqua un matin sur le coche d'eau,[4] et en trois jours et trois
nuits, il arriva dans la capitale de la France. Comme il avait peu   10
d'argent, il alla dans une gargote,[5] où l'on mangeait à quatre sous
par tête, sans y comprendre le pain: il y soupa copieusement; car
cette grande ville de Paris est si admirablement ordonnée, qu'on
y vit à tout prix: on lui servit un morceau de rôti assez bon, avec
une salade; encore eut-il l'option d'un autre second mets, on lui   15
rinça un verre très proprement, on mit sur la table un pot à eau
qui tenait environ trois pintes,[6] non sans lui demander s'il voulait
du vin, et on lui coupa un gros morceau de pain, en lui annonçant
qu'il y en avait pour six liards.[7] De Billi était dans l'admiration

1. *l'Auxerrois:* a part of Burgundy. Auxerre is its chief city.
2. *la métropole des bas Bourguignons* = Auxerre (the capital of lower
Burgundy).   3. *clerc de procureur:* clerk in a lawyer's office.
4. *le coche d'eau:* boat formerly used for transporting passengers and freight.
5. *gargote:* low-class restaurant.
6. *pintes:* (French) pint (nearly = English quart).
7. *liards:* There were 4 liards to a sou, 20 sous to a franc.

de se voir si bien servi, et à si bon compte,[8] sans autre incommodité que d'avoir à côté de lui des gens mal vêtus. Cependant il y avait moins de désagrément qu'on ne pense à cette compagnie; toute l'assemblée, qui était fort nombreuse, et principalement composée de garçons tailleurs, mangeait sans sonner mot; chacun y remplissait à la lettre le précepte du sage, *Age quod agis* (Fais ce que tu fais [9]). Après s'être rassasié, quoique clerc de procureur, De Billi appela l'hôtesse, grosse maman d'assez bonne mine, demanda ce qu'il devait, et paya la somme de cinq sous six deniers,[10] pour laquelle on lui dit grand merci. Il s'informa ensuite d'un petit logement à bon marché. — Julie (dit l'hôtesse à une petite nièce fort jolie), conduisez Monsieur là-haut, et montrez-lui nos cabinets [11] vides. Julie prit une lumière, et mena De Billi par un escalier étroit et raboteux,[12] à un sixième étage, où elle lui fit voir des cabinets. Il en choisit un qui donnait sur la rue, et moyennant six livres [13] par mois (les autres sur le derrière [14] ne se louaient que quatre), il eut l'assurance d'être logé, couché, fourni de meubles, c'est-à-dire d'une table avec deux chaises, d'un miroir, d'un pot à eau, d'une cuvette, d'une serviette, et d'un pot de chambre, durant trente ou trente-un jours: on le pria de payer le demi-mois d'avance, d'inscrire son nom sur un petit registre que Julie avait sous le bras; ensuite on lui remit une clef, on lui souhaita le bon soir, et on s'en alla. De Billi fut très content, et il admira fort que dans une ville telle que Paris, l'on ne fut pas écorché [15] comme dans les malheureuses auberges qui avoisinent la capitale. Il ignorait encore que la partie pauvre de la nation doit ces précieux avantages au magistrat de la police qui, en France, et surtout dans la capitale, est véritablement le père du peuple, et la terreur des méchants. Il n'y a pas de pays dans le

8. *à si bon compte:* so cheaply.
9. *Fais ce que tu fais:* Do what you are doing, i.e. keep to the business at hand.
10. *cinq sous six deniers:* 5½ sous (there were 12 deniers to a sou).
11. *cabinets = chambres.*   12. *raboteux:* uneven.   13. *livres = francs.*
14. *derrière = arrière.*   15. *écorché:* (fam.) fleeced.

royaume, et peut-être dans l'univers, où l'on puisse vivre à meilleur
compte qu'à Paris, lorsqu'on veut se contenter du nécessaire. De
Billi s'en convainquit les jours suivants; il était servi avec autant
de marques de zèle et de politesse, que s'il eût payé sa chambre
deux louis [16] par mois, et qu'il eût mangé chez un restaurateur à   5
un écu [17] par tête.

Les Contemporaines, 1780-85

16. *louis = louis d'or:* a 20-franc piece.
17. *écu:* crown (= a 3-franc piece).

Le Devant des portes

Il est un usage à Paris qui rapproche la Capitale des villes de
province: cet usage n'a lieu que lorsque les soirées commencent
à s'allonger, à la fin de juillet, en auguste,[1] et jusqu'à la mi-
septembre: les femmes s'asseyent devant leurs portes pour respirer   10
le frais [2] et jaser [3] entre elles; souvent une femme seule, dans les
grandes rues, comme celles Saint-Honoré, Dauphine, Saint-Denis,
et le reste, se contente de se mettre sur le seuil de sa porte pour
voir les passants et jouir de différentes scènes dont elle ne peut être
témoin l'hiver. C'est qu'en effet les rues de Paris ressemblent à   15
son Opéra: la scène y change à chaque instant. Ce stage dans une
ville immense produit différentes aventures. On a vu des amants
et des filous en profiter, les uns, pour enlever adroitement la
chaussure d'une femme afin d'en faire un objet de culte; les autres,
pour voler un mirza,[4] une jeannette,[5] ou même un soulier, afin   20
d'en avoir la boucle. On a vu de ces derniers feindre de se battre,
se renverser sur un cercle de femmes assises et les piller. . . .

Les Nuits de Paris, 1788-94

1. *auguste = août.*   2. *respirer le frais:* to enjoy the cool of the evening.
3. *jaser:* chatter, gossip.   4. *mirza:* kind of jewelry formerly worn by ladies.
5. *jeannette:* cross worn suspended from the neck on a narrow velvet ribbon.

Le Décolleur d'affiches

Quelques nuits après, je rencontrai l'homme qui m'avait raconté
le trait de l'*Industrie fainéante*,[1] et il me fit voir le personnage.
Nous allions nous quitter, lorsqu'il me tira par le bras : — En voici
un d'une autre espèce, me dit-il, qui est plus singulier encore, et
qui vous étonnera beaucoup, tant il est mesquin ! Et, cependant,   5
il fait subsister cet homme depuis trente années. Vous ne le devi-
neriez jamais. Tenez, il décolle les affiches du coin des rues, et
cela suffit à tous ses besoins. Voyez-le faire. Il vend à l'épicier
trois sous la livre ce qui est simple ; [2] au cartonnier ce qui est
collé l'un sur l'autre ; enfin, ce qui est absolument malpropre et   10
gâté, il l'amasse dans sa petite chambre, et s'en chauffe l'hiver.
Ce malheureux est absolument incapable d'aucun travail ; non
qu'il soit incommodé, mais par excès de nonchalance. Il se prive
de tous les plaisirs ; il mange les choses les plus grossières, qu'il
achète, au coin des rues, aux femmes qui revendent des restes. Il   15
sort la nuit pour décoller les affiches ; mais, comme il ne veut pas
occasionner de plaintes, il lit les dates et les laisse subsister tant
que le jour indiqué n'est point passé. Il ne touche jamais aux
affiches à demeure,[3] telles que les annonces de livres, de remèdes,
et le reste. Il dépouille régulièrement chaque soir les murailles des   20
affiches de Comédies, et cet objet seul lui produit douze à quinze
sous par jour. Il dort depuis huit heures du matin jusqu'à trois
ou quatre heures du soir. Le reste du jour, il arrange ses papiers
et les porte vendre. Comme les rebuts [4] ne suffiraient pas pour son
chauffage, il ramasse, à ses promenades diurnes,[5] les petits mor-   25
ceaux de bois et de charbon, les écorces, la paille, les dépaillures
de chaises [6] qu'on jette dans les rues, et l'été lui fournit assez pour
faire du feu l'hiver dans les plus grands froids.

---

1. *le trait de l'*Industrie fainéante : *The Do-Nothing Industry* story (the title
of an earlier story in this series).   2. *simple :* single-thickness.
3. *affiches à demeure :* permanent posters.   4. *les rebuts :* waste paper.
5. *diurnes :* (adj.) daytime.
6. *les dépaillures de chaises :* the rush (or cane) seats of chairs.

Cette singulière vie est étonnante et ne pouvait convenir qu'à un individu; deux ou trois se fussent enlevé leur subsistance. Par exemple, il n'y a que deux ou trois marchands d'encre ambulants, environ six ramasseurs de bouteilles cassées.

Les Nuits de Paris, 1788-94

LOUIS-SÉBASTIEN MERCIER

1740-1814

Louis-Sébastien Mercier, dramatist, essayist, and author of a remarkable *Tableau de Paris,* was a Parisian, born on the quai de
l'École, where his father kept a small shop. As a university student,
Mercier arose at six each morning and daily crossed the Pont-Neuf
on his way to the Collège des Quatre-Nations. Somehow, this mediocre student became an even more mediocre professor in a
collège in Bordeaux. Two years later he was back in Paris, writing
poetry, novels, plays, and an *Essai sur l'art dramatique.* Mercier
was imbued with the 18th-century idea of progress. In *L'An 2440,*
published in 1770, he described a marvelous Paris of the future,
an ideal city with wide, paved streets, with chimneys that did not
fall on people's heads, and with stairways that were well lighted.
In the twelve volumes of his *Tableau de Paris* (1781-90), he left
a detailed portrait of Paris as it really was. For years Mercier
had been wandering through the streets of Paris, noting his impressions and describing whatever he saw, significant or trivial.
Fortunately, Mercier was blessed with the eyes of a keen observer
and the legs of a good reporter. He himself tells us: « *J'ai tant
couru pour faire le* Tableau de Paris *que je puis dire l'avoir fait
avec mes jambes.* »

Mercier's *Tableau de Paris* has been variously described as
« *un livre pensé dans la rue et écrit sur la borne* » (Rivarol), « *un
excellent bréviaire pour un agent de police* » (Grimm), and « *un*

Les Cris de Paris

mélange d'absurdités, de vérités utiles, . . . d'éloquence et de mauvais goût » (La Harpe). But few writers have given posterity a more varied, more colorful, or more authentic picture of the Paris of their day.

Cris de Paris

Non, il n'y a point de ville au monde où les crieurs et les crieuses des rues aient une voix plus aigre et plus perçante. Il faut les entendre élancer leur voix par-dessus les toits; leur gosier surmonte le bruit et le tapage des carrefours. Il est impossible à l'étranger de pouvoir comprendre la chose; le parisien lui-même   5
ne la distingue que par routine.[1] Le porteur d'eau, la crieuse de vieux chapeaux, le marchand de ferraille, de peaux de lapin, la vendeuse de marée,[2] c'est à qui chantera sa marchandise sur un mode haut et déchirant.[3] Tous ces cris discordant forment un ensemble dont on n'a point d'idée lorsqu'on ne l'a point entendu.   10
L'idiome de ces crieurs ambulants est tel, qu'il faut en faire une étude pour bien distinguer ce qu'il signifie.

Les servantes ont l'oreille beaucoup plus exercée que l'Académicien; elles savent distinguer du quatrième étage, et d'un bout de la rue à l'autre, si l'on crie des maquereaux ou des harengs   15
frais, des laitues ou des betteraves. Comme les finales sont à peu près du même ton, il n'y a que l'usage qui enseigne aux doctes servantes à ne point se tromper; et c'est une inexplicable cacophonie pour tout autre.

Tableau de Paris, Chap. CCCLXXIX, 1781

---

1. *par routine:* out of habit.   2. *marée:* fresh (salt water) fish.
3. *c'est à qui chantera sa marchandise sur un mode haut et déchirant:* they vie with one another in extolling their merchandise in a loud and shrieking manner.

Le Pont-Neuf

Le Pont-Neuf est dans la ville ce que le cœur est dans le corps humain, le centre du mouvement et de la circulation; le flux et le reflux des habitants et des étrangers frappent tellement ce passage, que pour rencontrer les personnes qu'on cherche, il suffit de s'y promener une heure chaque jour.

Les mouchards [1] se plantent là: et quand, au bout de quelques jours, il ne voient pas leur homme, ils affirment positivement qu'il est hors de Paris. Le coup d'œil est plus beau de dessus le Pont-Royal; mais il est plus étonnant de dessus le Pont-Neuf. Là, les Parisiens et les étrangers admirent la statue équestre de Henri IV,[2] et tous s'accordent à le prendre pour le modèle de la bonté et de la popularité.

Un pauvre poursuivait un homme le long des trottoirs; c'était un jour de fête. *Au nom de saint Pierre,* disait le mendiant, *au nom de saint Joseph, au nom de la sainte Vierge Marie, au nom de son divin Fils, au nom de Dieu.* Arrivé devant la statue de Henri IV: *Au nom de Henri IV,* dit-il. Le poursuivi s'arrête: *Au nom de Henri IV? Tiens!* Et il lui donna un louis d'or.

Un de ces hommes qui vendent des médailles de plâtre en portait deux, l'une devant, l'autre derrière: c'était le médaillon de Henri IV et de Louis XIV. *Combien le premier? — Six francs,* dit le vendeur. *— Et l'autre, le vendez-vous de même? — Je ne les sépare point, monsieur; sans le premier, je ne vendrais jamais le second.*

On croit dans les provinces qu'on ne saurait traverser le Pont-Neuf, la nuit, sans courir risque d'être jeté à la rivière. On parle des attentats de Cartouche,[3] comme si ce voleur subsistait encore. C'est le passage le plus sûr qui soit à Paris.

Gaston d'Orléans, frère de Louis XIII, se plaisait à voler des manteaux sur le Pont-Neuf, et la mémoire s'en est conservée....

1. *mouchards:* (fam.) informers.
2. *Henri IV:* the most popular French king of all time (1553-1610).
3. *Cartouche:* 18th-century bandit, executed in 1721.

Un Anglais, dit-on, fit la gageure il y a cinq ans, qu'il se pro-
mènerait le long du Pont-Neuf pendant deux heures, offrant au
public des écus neufs de six livres, à vingt-quatre sous pièce,[4]
et qu'il n'épuiserait pas de cette manière un sac de douze cents
francs qu'il tiendrait sous son bras. Il se promena criant à haute   5
voix: *Qui veut des écus de six francs tout neufs, à vingt-quatre
sous? Je les donne à ce prix.* Plusieurs passants touchèrent, pal-
pèrent les écus, et, continuant leur chemin, levèrent les épaules
en disant: *Ils sont faux, ils sont faux.* Les autres, souriant comme
supérieurs à la ruse, ne se donnaient pas la peine de s'arrêter ni   10
de regarder. Enfin une femme du peuple en prit trois en riant,
les examina longtemps, et dit aux spectateurs: *Allons, je risque
trois pièces de vingt-quatre sous par curiosité.* L'homme au sac
n'en vendit pas davantage, pendant une promenade de deux heures;
il gagna amplement la gageure contre celui qui avait moins bien   15
étudié que lui, ou moins bien connu l'esprit du peuple.

Les marches du Pont-Neuf s'usent visiblement vers le milieu,
et en peu d'années, sous les pieds des innombrables passants. Elles
deviennent glissantes, et l'on est obligé de les renouveler.

Des marchands d'oranges et de citrons ont, au milieu du pont,   20
des boutiques qui forment un coup d'œil agréable: car ce fruit
est aussi sain qu'il est beau.

Tableau de Paris, Chap. L, 1781

---

4. *des écus neufs de six livres, à vingt-quatre sous pièce* = new six-franc coins
for 24 sous (1 franc 20 centimes) each.

BERNARDIN DE SAINT-PIERRE

1737-1814

One of the great themes of French literature in the second half of the eighteenth century is the rediscovery of the charms of nature and the natural life. Bernardin de Saint-Pierre shared with his contemporary and friend, Rousseau, this taste for the simple life far from the horrors of civilization.

Born in 1737 in the port city of Le Havre, Bernardin de Saint-Pierre was an adventurer, naturalist, and political visionary, who sailed to Martinique as a boy of twelve, served as a military engineer in Germany and Malta, and for a time eked out a frugal existence in Paris by teaching mathematics. Later travels took him to Russia, Finland, Poland, and Île de France (Mauritius), an island in the Indian Ocean, where he spent three years. His *Voyage à l'Île de France* (1773) was a travel account of this experience. It was the exotic nature description of *Les Études de la Nature* (1784), however, which brought him lasting fame. This book and *Paul et Virginie* (1788), a novel of adolescent love set against the tropical scenery of the Île de France, were so successful that Bernardin could leave his garret in the Latin Quarter for a comfortable house with a garden in a quiet Paris suburb. It was from this retreat in the faubourg Saint-Marceau that he wrote the *Vœux d'un solitaire* (1789-91) and its *Suite* (1791) urging political reforms and a return to the pastoral life.

After the peace and tranquility of a tropical island existence, the din of Paris could only have irritated this recluse who had come to detest human society. Yet Bernardin retained the strongest affection for Paris. As he noted in his *Études de la Nature:* « *J'aime Paris; après la campagne, et une campagne à ma guise, je préfère Paris à tout ce que j'ai vu dans le monde. J'aime cette ville ... parce qu'elle est l'asile et le refuge des malheureux.* »

Le Bruit des cloches

J'ai vu autrefois dans Paris, suspendus aux boutiques des mar-chands, des volants [1] de six pieds de hauteur, des perles grosses comme des tonneaux,[2] des plumes qui allaient au troisième étage, un gant dont les doigts ressemblaient à des troncs d'arbres, une botte qui contenait plusieurs barriques; [3] on aurait cru Paris   5
habité par des géants. Cependant ces énormes enseignes n'annon-çaient que des marchands de jouets d'enfants, de bijoux, de modes, des gantiers, des cordonniers. Enfin, comme elles allaient toujours en augmentant,[4] ainsi que vont tous les signes de l'ambition, la police les fit réduire à une grandeur raisonnable, parce qu'elles   10
empêchaient de voir les maisons, et que, dans un coup de vent, elles pouvaient en écraser les habitants. Tout ce monstrueux appa-reil était une image fidèle des ambitieux en concurrence; quand tous veulent se distinguer, aucun ne se distingue, et leurs grands efforts généraux finissent souvent par les anéantir en particulier.[5]   15

La police ne réforme point les autres langages de l'ambition, parce qu'ils n'importent point à la vie des citoyens: tels sont ceux qui ne sont que bruyants. Le but de tout ambitieux étant d'attirer sur lui l'attention publique, il est certain que le moyen le plus

1. *volants:* shuttlecocks.   2. *tonneaux:* barrels.
3. *barriques:* large barrels.
4. *elles allaient toujours en augmentant:* they were getting bigger and bigger.
5. *et leurs ... en particulier:* and their great over-all efforts often end up by destroying each of them individually.

sûr d'y parvenir est de faire beaucoup de bruit. Aussi entend-on
dans la capitale du royaume, la plupart des métiers s'évertuer à
qui criera le plus fort.[6] Tous les marchands ambulants ont leurs
cris; et si vous joignez à leurs paroles inintelligibles, les cris aigus
des laitières, les voix enrouées et les cornets des porteurs d'eau,   5
les jurements et les fouets des charretiers, les clameurs des poissardes,[7] les roulements des charrettes et des carrosses, les cabrio-
lets à ressorts d'acier résonnant, les cliquetis de la petite poste,[8]
les tambours des gardes, etc., vous trouverez que Paris est la ville
la plus tumultueuse de l'Europe. Mais tout cela n'est rien auprès   10
du bruit des cloches. L'ambition des paroisses et des couvents a
jouté à qui en aurait [9] de plus grosses et en plus grand nombre.
Il y a telle cloche qui fait plus de bruit à elle seule que dix mille
citoyens; et comme il y a à Paris plus de deux cent clochers, on
doit juger du tumulte épouvantable que font ces monuments, sur-   15
tout les jours de fête. Certes, c'est une chose monstrueuse et à
laquelle la seule habitude peut nous former, d'entendre mugir
de grosses tours; et des sons barbares sortir des temples de la
paix, même pendant la nuit. Les cloches sonnent la veille, le jour
et le lendemain des grandes fêtes, de celles des paroisses, et même   20
des simples confréries. Comme le bruit des cloches est un moyen
sûr à un bourgeois inconnu d'attirer sur lui la considération de
son quartier, il fait sonner son mariage, le baptême de ses enfants,
mais surtout les enterrements de ses parents, la veille, le jour et
le bout de l'an. Il fonde même des obits [10] pour faire sonner après   25
sa mort à perpétuité. Enfin, s'il est riche, il fait sonner son dîner
et son souper; car chaque hôtel [11] a aussi sa cloche. Tous ces bruits

6. *s'évertuer à qui criera le plus fort:* exert themselves to see who can shout
the loudest.   7. *poissardes:* fishwives.
8. *les cliquetis de la petite poste:* the clickings of the district post offices.
9. *a jouté a qui en aurait:* competed to see who would have.
10. *Il fonde même des obits:* He even establishes obits (i.e. anniversary
masses on behalf of the soul of a deceased person).
11. *hôtel:* mansion or town house.

nous rendent le peuple le plus bruyant de l'Europe, et partant [12] le plus vain: car si l'ambition a pour but principal de faire du bruit, le bruit a aussi pour objet de nous donner de l'ambition.

Suite des Vœux d'un solitaire, 1791

12. *et partant:* and therefore.

FRANÇOIS-RENÉ DE CHATEAUBRIAND

1768-1848

François-René de Chateaubriand was an aristocrat, born in the Château de Combourg in Brittany in 1768. When the French Revolution broke out in 1789, Chateaubriand was a twenty-one-year-old officer in the royal regiment of Navarre. Leaving France at the beginning of the Terror, he set sail for the New World, vaguely determined to discover the northwest passage to the Orient. Instead, he spent five months traveling from Baltimore, by way of Niagara Falls and the Ohio River, to the Mississippi, all the while gathering notes and impressions for the magnificent literary transposition of this American experience which was to become *Atala* (1801) and *René* (1802). He returned to France in 1792 and served in the *émigré* army of the Rhine until he was wounded and forced to seek refuge in England. It was during his eight years of exile in or near London that Chateaubriand learned of the death or imprisonment of most of his family in France. He had already composed and published in London an *Essai sur les Révolutions* (1797) and the first volume of *Le Génie du christianisme* when he suddenly decided to return to France. Arriving in Paris with false papers and under an assumed name, he found a city which had been bathed in the blood of civil insurrection. Yet despite the horrors which the Revolution had inflicted on his own family, the appeal of Paris was so compelling that before long this ex-royalist realized he had come back to his own city. Chateaubriand's long

and distinguished political career took him abroad frequently during the next forty-eight years but after each period of residence in
a foreign capital he returned to Paris, convinced that « *on ne peut
plus vivre qu'à Paris.* »

The selection which follows is taken from Chateaubriand's monumental autobiography, *Les Mémoires d'outre-tombe,* published
posthumously (1849-50).

Le Retour d'un émigré

Depuis huit ans enfermé dans la Grande-Bretagne, je n'avais vu
que le monde anglais, si différent, surtout alors, du reste du monde
européen. A mesure que le *packet-boat* de Douvres approchait de
Calais, au printemps de 1800, mes regards me devançaient au
rivage. J'étais frappé de l'air pauvre du pays: à peine quelques   5
mâts se montraient dans le port; une population en carmagnole [1]
et en bonnet de coton s'avançait au devant de nous le long de la
jetée: les vainqueurs du continent me furent annoncés par un
bruit de sabots. Quand nous accostâmes le môle, les gendarmes
et les douaniers sautèrent sur le pont, visitèrent nos bagages et   10
nos passeports: en France, un homme est toujours suspect, et la
première chose que l'on aperçoit dans nos affaires, comme dans
nos plaisirs, est un chapeau à trois cornes [2] ou une baïonnette.

Madame Lindsay nous attendait à l'auberge: le lendemain nous
partîmes avec elle pour Paris, madame d'Aguesseau, une jeune   15
personne, sa parente, et moi. Sur la route, on n'apercevait presque
point d'hommes; des femmes noircies et hâlées, les pieds nus, la
tête découverte ou entourée d'un mouchoir, labouraient les champs:
on les eût prises pour des esclaves. J'aurais dû plutôt être frappé
de l'indépendance et de la virilité de cette terre où les femmes   20

1. *carmagnole:* the costume of the French Revolutionists, a metal-buttoned
jacket with wide collar and lapels.
2. *chapeau à trois cornes = chapeau des gendarmes:* three-cornered hat.

maniaient le hoyau,[3] tandis que les hommes maniaient le mousquet. On eût dit que le feu avait passé dans les villages; ils étaient misérables et à moitié démolis: partout de la boue ou de la poussière, du fumier et des décombres.

A droite et à gauche du chemin, se montraient des châteaux abattus; de leurs futaies [4] rasées, il ne restait que quelques troncs équarris,[5] sur lesquels jouaient des enfants. On voyait des murs d'enclos ébréchés, des églises abandonnées, dont les morts avaient été chassés, des clochers sans cloches, des cimetières sans croix, des saints sans tête et lapidés dans leurs niches. Sur les murailles étaient barbouillées ces inscriptions républicaines déjà vieillies: LIBERTÉ, ÉGALITÉ, FRATERNITÉ OU LA MORT. Quelquefois on avait essayé d'effacer le mot MORT, mais les lettres noires ou rouges reparaissaient sous une couche de chaux. Cette nation, qui semblait au moment de se dissoudre, recommençait un monde, comme ces peuples sortant de la nuit de la barbarie et de la destruction du moyen âge.

En approchant de la capitale, entre Écouen et Paris, les ormeaux n'avaient point été abattus; je fus frappé de ces belles avenues itinéraires, inconnues au sol anglais. La France m'était aussi nouvelle que me l'avaient été autrefois les forêts de l'Amérique. Saint-Denis [6] était découvert, les fenêtres en étaient brisées; la pluie pénétrait dans ses nefs verdies, et il n'avait plus de tombeaux....

... Madame Lindsay ... fit prévenir M. de Fontanes [7] de mon arrivée; au bout de quarante-huit heures, il me vint chercher au fond d'une petite chambre que madame Lindsay m'avait louée dans une auberge, presque à sa porte.

C'était un dimanche: vers trois heures de l'après-midi, nous entrâmes à pied dans Paris par la barrière [8] de l'Étoile. Nous

---

3. *hoyau:* mattock, grubbing hoe.   4. *futaies:* woods, forests.
5. *troncs équarris:* squared trunks.
6. *Saint-Denis:* famous abbey, a few miles north of Paris, and burial place of the French kings. In 1793, revolutionaries desecrated the abbey and the royal tombs.   7. *Fontanes:* Chateaubriand's closest friend and protector.
8. *barrière:* city gate.

n'avons pas une idée aujourd'hui de l'impression que les excès de
la Révolution avaient faite sur les esprits en Europe, et principalement sur les hommes absents de la France pendant la Terreur;
il me semblait, à la lettre, que j'allais descendre aux enfers. J'avais
été témoin, il est vrai, des commencements de la Révolution, mais   5
les grands crimes n'étaient pas alors accomplis, et j'étais resté
sous le joug des faits subséquents, tels qu'on les racontait au milieu
de la société paisible et régulière de l'Angleterre.

M'avançant sous mon faux nom,[9] et persuadé que je compro-
mettais mon ami Fontanes, j'ouïs, à mon grand étonnement, en   10
entrant dans les Champs-Élysées, des sons de violon, de cor, de
clarinette et de tambour. J'aperçus des *bastringues* [10] où dansaient
des hommes et des femmes; plus loin, le palais des Tuileries [11]
m'apparut dans l'enfoncement de ses deux grands massifs de marronniers. Quant à la place Louis XV,[12] elle était nue; elle avait   15
le délabrement, l'air mélancolique et abandonné d'un vieil amphi-
théâtre; on y passait vite; j'étais tout surpris de ne pas entendre
des plaintes; je craignais de mettre le pied dans un sang dont il
ne restait aucune trace; mes yeux ne se pouvaient détacher de
l'endroit du ciel où s'était élevé l'instrument de mort; je croyais   20
voir en chemise, liés auprès de la machine sanglante, mon frère
et ma belle-sœur: [13] là était tombée la tête de Louis XVI. Malgré
les joies de la rue, les tours des églises étaient muettes; il me
semblait être rentré le jour de l'immense douleur, le jour du
Vendredi-Saint.   25

M. de Fontanes demeurait dans la rue Saint-Honoré, aux environs de Saint-Roch.[14] Il me mena chez lui, me présenta à sa femme,
et me conduisit ensuite chez son ami, M. Joubert,[15] où je trouvai

9. *faux nom:* Chateaubriand had entered France illegally under the name of
« Lassagne, citoyen Suisse. »   10. *bastringues:* popular dance halls.
11. *le palais des Tuileries:* former royal palace.
12. *la place Louis XV* : Originally named *place Louis XV*, this great square
became *place de la Révolution* in 1792. It was renamed *place de la Concorde*
in 1795.   13. *mon frère et ma belle-sœur:* Both were guillotined in 1794.
14. *Saint-Roch:* 18th-century church, located on the rue Saint-Honoré.
15. *Joubert:* moralist and author of *Pensées*.

un abri provisoire: je fus reçu comme un voyageur dont on avait entendu parler.

Le lendemain, j'allai à la police, sous le nom de Lassagne, déposer mon passeport étranger et recevoir en échange, pour rester à Paris, une permission qui fut renouvelée de mois en mois. Au bout de quelques jours, je louai un entresol rue de Lille, du côté de la rue des Saints-Pères.

J'avais apporté le *Génie du christianisme* [16] et les premières feuilles de cet ouvrage, imprimées à Londres. On m'adressa à M. Migneret, digne homme, qui consentit à se charger de recommencer l'impression interrompue et à me donner d'avance quelque chose pour vivre. . . . [J]e me rendis chez Ginguené.[17] Celui-ci était logé rue de Grenelle-Saint-Germain, près de l'hôtel du Bon La Fontaine. On lisait encore sur la loge de son concierge: *Ici on s'honore du titre de citoyen, et on se tutoie. Ferme la porte, s'il vous plaît.* Je montai: M. Ginguené, qui me reconnut à peine, me parla du haut de la grandeur de tout ce qu'il était et avait été. Je me retirai humblement, et n'essayai pas de renouer des liaisons si disproportionnées.

Je nourrissais toujours au fond de mon cœur les regrets et les souvenirs de l'Angleterre; j'avais vécu si longtemps dans ce pays que j'en avais pris les habitudes: je ne pouvais me faire à [18] la saleté de nos maisons, de nos escaliers, de nos tables, à notre malpropreté, à notre bruit, à notre familiarité, à l'indiscrétion de notre bavardage: j'étais Anglais de manière, de goûts et, jusqu'à un certain point, de pensées; car si, comme on le prétend, lord Byron s'est inspiré quelquefois de *René* [19] dans son *Childe-Harold,* il est vrai de dire aussi que huit années de résidence dans la

16. le *Génie du christianisme:* the work of Christian apologetics which was to make Chateaubriand famous.
17. *Ginguené:* Pierre Louis Ginguené (1748-1816), historian, poet, and critic, who reviewed le *Génie du christianisme* several months after it had appeared.
18. *me faire à:* get used to.
19. *René:* Chateaubriand's great creation, the incarnation of the young, romantic hero suffering from *mal du siècle.*

Grande-Bretagne, précédées d'un voyage en Amérique, qu'une
longue habitude de parler, d'écrire et même de penser en anglais,
avaient nécessairement influé sur le tour et l'expression de mes
idées. Mais peu à peu je goûtai la sociabilité qui nous distingue,
ce commerce charmant, facile et rapide des intelligences, cette   5
absence de toute morgue [20] et de tout préjugé, cette inattention à
la fortune et aux noms, ce nivellement naturel de tous les rangs,
cette égalité des esprits qui rend la société française incomparable
et qui rachète nos défauts: après quelques mois d'établissement
au milieu de nous, on sent qu'on ne peut plus vivre qu'à Paris.   10

Mémoires d'outre-tombe, 1849-50

20. *morgue:* arrogance, haughtiness.

ÉTIENNE DE JOUY

1764-1846

Étienne de Jouy is remembered almost exclusively as the author of *L'Hermite de la Chaussée d'Antin*, a series of popular sketches of Parisian life during the Napoleonic years. These short essays had originally appeared in the leading French daily, the *Gazette de France*, from 1811 to 1814. Later, they were collected in book form and issued as five volumes (1812-14). They were immensely popular with Frenchmen and foreigners alike. De Jouy, Stendhal liked to recall somewhat maliciously, had created a book « *bien adapté à l'esprit du bourgeois de France et à la curiosité bête de l'Allemand.* »

Like many a gifted observer of the Paris scene, De Jouy was a Parisian only by adoption, having been born in the village of Jouy-en-Josas, near Versailles, in 1764. At the age of fourteen he left home, bound for India, where he participated in a series of Dumas-like adventures, including a dramatic love affair, an imprisonment, escape, and shipwreck. During the Revolution he emigrated to England, where he married an Englishwoman. He later returned to France, was arrested and imprisoned, and not long after his release decided to devote his energies to journalism and literature. De Jouy turned out to be a prolific writer, composing vaudevilles, tragedies, comedies, and operas, including the libretto for Rossini's *Guillaume Tell* (1829). But it is the *Hermite* series of books on which his reputation rests: *L'Hermite de la Chaussée d'Antin,* and its two sequels, *L'Hermite de la Guyenne* (1816) and *L'Hermite en province* (1824).

De Jouy's keen observations on the Paris scene of his day inevitably call to mind such eighteenth-century predecessors as Restif de la Bretonne and Sébastien Mercier, but in the opinion of Sainte-Beuve, Étienne de Jouy was no less than « *le La Bruyère du temps de l'Empire.* »

Le Pays Latin

1er février 1812.
Vendredi matin.

J'ai eu, par hasard, la visite d'un très jeune homme, nommé Charles d'Essène, qui ne vient ordinairement me voir que les dimanches. C'est le fils d'un ancien militaire, retiré, depuis plus de vingt ans, au fond de la Sologne,[1] dans une petite terre,[2] où il s'occupe de la première éducation de ses enfants. Pour compléter celle de son fils aîné, il a bien fallu qu'il se décidât à l'envoyer à Paris, sous la surveillance de quelques amis qu'il a conservés dans la capitale: je suis du nombre.[3] Le jeune homme m'a pris en amitié; il vient me voir régulièrement toutes les semaines. . . . J'avais intérêt à faire jaser mon jeune étudiant; et, tout en déjeunant, j'ai voulu qu'il me racontât, dans les moindres détails, la vie qu'il mène à Paris. J'ai trouvé dans son récit une peinture fidèle des mœurs et des habitudes de cette classe vraiment estimable de jeunes gens dévoués à l'étude, et qui peuplent silencieusement un quartier de la capitale, auquel les collèges de la Sorbonne, les pensions de l'ancienne Université et plusieurs réunions savantes ont fait donner le nom de *Pays Latin*. Je serai plus sûr de ne point altérer sa narration en le laissant parler lui-même.

1. *la Sologne:* region south of the Loire river, comprising the *départements* of Loiret, Cher, and Loir-et-Cher.   2. *terre:* estate.
3. *je suis du nombre:* I am counted among them.

« Vous savez que mon père a beaucoup d'enfants, qu'il a con-
servé peu de fortune, et que la petite pension de cent cinquante
francs par mois qu'il me fait à Paris ne me permet pas d'y vivre
en grand seigneur. On me destine au barreau; [4] mes goûts particuliers me portent à l'étude des sciences naturelles: pour me
mettre en état de prendre tout à la fois des inscriptions à l'École
de Droit, et de suivre les cours du Jardin des Plantes,[5] j'ai vu
qu'il fallait ménager mon temps plus précieusement encore que
ma bourse. En arrivant à Paris, je suis venu loger dans un petit
appartement qu'un de mes amis de collège, beaucoup plus âgé
que moi, avait eu le soin de me faire préparer dans l'hôtel, ou
plutôt dans le taudis qu'il occupe au centre de quartier Saint-
Jacques. Je paie ce logement *neuf francs* par mois; c'est vous
donner une idée de sa magnificence. Je ne sais pas si vous savez
que la rue de la Parcheminerie, où j'ai mon domicile, est située
entre la rue de la Harpe et la rue Saint-Jacques, et qu'elle ne
serait habitée que par des parcheminiers [6] et des relieurs, si l'on
n'y comptait pas (indépendamment de la maison de la veuve
Dessaint) quatre prétendus hôtels garnis,[7] dans l'un desquels je
suis locataire. On le reconnaît à une petite planche de bois noir
où se trouve inscrit, en caractères rouges, le nom de *l'Hôtel de
Berri*. Figurez-vous une masure bâtie pendant les troubles du règne
de Charles VII [8] (s'il faut en croire une inscription gravée sur le
chambranle [9] de la porte principale), où l'on pénètre à travers
une allée obscure, laquelle conduit à un escalier plus obscur encore, à l'aide duquel on peut, en ne quittant pas la corde grasse
qui sert de rampe et de guide dans ce dédale, se hisser jusqu'au
sixième étage.

« C'est là, tout juste à quatre-vingt-dix-sept marches au dessus

4. *au barreau:* for the bar.
5. *Jardin des Plantes:* the museum of natural history, famous for its lectures
on botany, zoology, pharmacy, etc.   6. *parcheminiers:* parchment makers.
7. *hôtels garnis:* poorer class hotels with furnished rooms.
8. *Charles VII:* king (1422-61) during the time of Jeanne d'Arc.
9. *le chambranle:* frame, casing.

du niveau de la rue, que se trouve ma chambre (le même corridor
en renferme huit tout à fait semblables) ; elle est meublée d'un
lit en serge d'Aumale [10] vert olive, d'une table en bois de noyer,
recouverte d'un tapis de Bergame,[11] de deux chaises d'église,
rempaillées à neuf, et d'un petit poêle [12] de faïence qu'on peut   5
chauffer pendant deux jours au moyen d'un cotret [13] coupé en
quatre; ajoutez à cela un pot à l'eau et sa cuvette [14] en faïence de
couleur, un chandelier et une écritoire,[15] et vous aurez l'idée la
plus exacte du mobilier d'un étudiant en droit. Une bonne grosse
servante picarde [16] suffit au service de tous les locataires de l'hôtel   10
de Berri; elle *fait* nos chambres et compte avec les blanchisseuses;
elle a seule la responsabilité des chandelles et les clefs de la porte
d'entrée, qu'elle ferme irrévocablement à neuf heures et demie.
C'est encore elle qui se charge d'aller nous acheter, chaque matin,
l'angle aigu du fromage de Brie [17] dont se compose habituellement   15
notre déjeuner. Vous avouerez que, pour trente sous [18] par mois
qu'il en coûte à chacun de nous, on ne saurait être ni mieux, ni
plus agréablement servi.

« Nous sommes vingt-cinq étudiants logés au même hôtel: c'est
un précis de l'Université; les quatre Facultés [19] s'y trouvent. Nous   20
sortons tous le matin à peu près à la même heure: les uns se
rendant à l'École de Médecine, à l'Hôtel-Dieu,[20] les autres au
Collège de France [21] ou au Jardin des Plantes, pour y suivre les
différents cours ouverts dans ces établissements. Nous sommes six
qui fréquentons spécialement l'École de Droit, et nous comptons   25

10. *serge d'Aumale:* woolen serge (from Aumale region in northwest France).
11. *un tapis de Bergame:* a Bergamot rug or throw (an inexpensive rug,
originally made in Bergamo, Italy).   12. *poêle:* stove.
13. *un cotret:* a fagot, bundle of wood.   14. *cuvette:* washbasin.
15. *une écritoire:* writing desk.
16. *picarde:* from Picardy (northern France).
17. *l'angle aigu du fromage de Brie:* wedge of Brie (soft, flat cheese from
Brie district, southeast of Paris).   18. *trente sous:* 1½ francs.
19. *quatre Facultés = Droit, Théologie, Médecine, Arts libéraux.*
20. *l'Hôtel-Dieu:* the oldest Paris hospital, located near Notre-Dame.
21. *Collège de France:* famous institution of higher learning, founded by
François Ier in 1530.

parmi nous quatre jeunes théologiens qui assistent régulièrement
aux conférences ascétiques de Saint Sulpice.[22] Comment contester
à notre quartier son titre de quartier savant, lorsqu'on voit au
point du jour cette foule d'écoliers externes qui se rendent aux
Lycées, leurs livres sous le bras et le déjeuner à la main; ces   5
élèves de l'École Polytechnique [23] qui sortent de l'hôtel pour faire
une promenade militaire; ces professeurs, ces maîtres de quartiers
qui se rendent à leurs classes; ces amateurs de livres qui fouillent
et bouleversent toutes les mannes du passage des Jacobins? Ajoutez
à ce tableau des bataillons de garçons imprimeurs, le casque de   10
papier en tête, de relieurs chargés de livres, qui circulent dans
les rues, et vous aurez une idée de la population du Pays Latin.

« Ma journée se partage entre mes devoirs et mes plaisirs; les
uns et les autres sont des travaux. Après une leçon de Droit romain, expliquée par le savant Berthelot, je cours au Jardin des   15
Plantes écouter les ingénieuses hypothèses géologiques de M.
Faujas.[24] Au profond commentaires de M. Delvincourt [25] sur le
Code Napoléon,[26] je fais succéder les éloquentes leçons d'anatomie
comparée de M. Cuvier.[27] Je trouve le temps d'assister aux leçons
des Cotelle, des Pigeau, des Boulage,[28] sans rien perdre des dé-   20
monstrations des Haüy et des Desfontaines; [29] j'étudie avec une
égale ardeur (je ne dis pas avec un égal plaisir) Domat et Linné,

22. *Saint Sulpice:* the most famous Catholic seminary in Paris.
23. *l'École Polytechnique:* one of the most famous French educational
institutions, founded during the Revolution, and transformed by Napoleon
into a military college whose pupils were commissioned in artillery or the
corps of engineers.
24. *Berthelot ... Faujas:* professors of law and geology, respectively. The
professors mentioned in this paragraph are all real persons.
25. *Delvincourt:* dean of the *Faculté de Droit.*
26. *le Code Napoléon:* the fundamental law of France, drawn up by a
commission presided over by Napoleon and voted into law in 1804.
27. *Cuvier:* celebrated zoologist and originator of comparative anatomy.
28. *Cotelle ... Pigeau ... Boulage:* professors at the *Faculté de Droit.*
29. *Haüy ... Desfontaines:* Haüy was a professor of mineralogy at the
Faculté des Sciences; Desfontaines taught a course in botany at the *Jardin
des Plantes.*

Jussieu et Justinien.[30] Vous voyez que j'ai fait mon profit de cet
aphorisme du bonhomme Richard,[31] que vous me répétez si souvent: *Aimez-vous la vie? ne dissipez pas le temps, car la vie en
est faite.* Presque tous mes camarades l'emploient aussi utilement.

« Nous nous réunissons à dîner dans la rue des Mathurins, à   5
l'ancienne auberge de la *Tête Noire,* tout près de la Sorbonne,
dans la maison du fameux docteur Cornet; [32] et, je crois même,
dans la salle où fut arrêtée,[33] il y a près de deux siècles, la censure
du livre de *la Fréquente Communion.*[34] Pour trente-six francs par
mois, on nous sert, à quatre heures, un modeste repas qu'assaisonne   10
un appétit plus difficile à apaiser qu'à satisfaire.

« Nos délassements journaliers sont aussi simples que nos occupations; c'est à la bibliothèque Sainte-Geneviève [35] que se passent
nos récréations, au Luxembourg [36] que nous faisons nos promenades, et dans un petit cabinet de lecture [37] de la place Saint-   15
Michel (qui ne vaut pas celui de la rue de Grammont [38]) que nous
achevons nos soirées d'hiver. Je dois pourtant vous avouer que
le dernier dimanche de chaque mois est pour nous une véritable
fête: ce jour-là nous dînons à cinquante sous par tête, chez le
fameux restaurateur Edon (le Beauvilliers [39] du faubourg Saint-   20
Germain) ; de là nous allons au café Procope,[40] et quelquefois

30. *Domat et Linné, Jussieu et Justinien:* Domat was a 17th-century
jurisconsult; Linné, or Linnaeus, was the great 18th-century Swedish
botanist; Jussieu was a French botanist of the 18th century; Justinien,
the 6th-century Byzantine emperor and lawgiver.
31. *bonhomme Richard:* the Richard of Benjamin Franklin's *Poor Richard's
Almanack.*   32. *Cornet:* 17th-century theologian.   33. *arrêtée:* drawn up.
34. *La Fréquente Communion:* 17th-century Jansenist book, attacked as
heretical by the Jesuits. Pascal's *Lettres provinciales* were written in answer
to these attacks.
35. *la bibliothèque Sainte-Geneviève:* a favorite students' working library
in the Latin Quarter.   36. *Luxembourg = Jardin du Luxembourg.*
37. *cabinet de lecture:* lending library.
38. *la rue de Grammont:* site of a famous *cabinet de lecture.*
39. *Beauvilliers:* noted 18th-century chef and restaurateur.
40. *café Procope:* the fost famous Paris literary café, still in existence,
founded in 1683 by Francesco Procopio di Coltelli. Its clientele included
Voltaire, Diderot, Rousseau, and later Balzac, Théophile Gautier, and
Verlaine.

même, s'il faut tout dire, nous ne nous refusons pas un billet de
parterre [41] pour aller voir la première pièce à l'Odéon. »

Là finit le récit de mon jeune étudiant; je l'ai écrit en quelque
sorte sous sa dictée. Nous avons passé la journée ensemble: je
l'ai mené dîner avec moi, et de là nous avons été à la Comédie
Française voir jouer le *Bourgeois Gentilhomme*.[42] Il était plus de
onze heures lorsque je l'ai reconduit à son hôtel; aussi avons nous
eu toutes les peines du monde à réveiller la servante, qui nous a
bien déclaré qu'elle n'aurait pas ouvert à d'autres qu'à M. Charles,
et que, de mémoire d'homme,[43] personne n'était rentré aussi tard
à l'hôtel de Berri.

L'Hermite de la Chaussée d'Antin, 1812-14

41. *parterre:* the pit. (At this time, the cheapest seats; the best seats were
in the balcony.)
42. *le* Bourgeois Gentilhomme: Molière's famous *comédie-ballet*, first
produced in 1670.   43. *de mémoire d'homme:* within living memory.

Le Pont des Arts

Le Pont des Arts est un point de réunion entre les deux plus beaux
quartiers de Paris; celui du Palais-Royal (dans lequel je comprends la Chaussée-d'Antin) et celui du faubourg Saint-Germain.
Par cela même qu'il en coûte quelque chose pour passer sur ce
pont,[1] les gens qu'on y rencontre le plus habituellement n'appartiennent pas aux dernières classes du peuple, ou du moins sont
au-dessus de la modique rétribution qu'on exige. Ce calcul n'a
probablement pas échappé à ce *pauvre Francansalle*, qui vient

1. From its opening in 1803 until 1849, pedestrians were charged a toll of
one sou to use the Pont des Arts.

chaque jour, enveloppé dans une couverture de laine, étaler en
ce lieu sa misère: Parmi les passants dont il cherche a émouvoir
aujourd'hui la pitié, il en est encore quelques-uns qu'il a fait rire
autrefois sous l'habit et le masque d'Arlequin, lorsqu'il exerçait
cet emploi à la Comédie Italienne; [2] exemple trop commun du   5
sort réservé au talent même dont une jeunesse imprévoyante n'a
point assuré l'avenir.

L'ancien camarade de Carlin [3] a pour compagnon d'infortune,
sur le Pont des Arts, un vieillard aveugle, plus digne encore de
compassion: cet honnête artisan, après quarante ans de travaux,   10
d'économie, ou plutôt de privations, avait amassé le fonds d'une
rente de cent écus,[4] qui l'aidait à supporter le malheur qu'il avait
eu de perdre la vue depuis quelques années. La banqueroute de la
maison dans laquelle il avait placé son petit pécule l'a privé de
toute espèce de ressource; son débiteur est allé *s'enterrer dans le*   15
château de sa femme, et le pauvre créancier aveugle est venu
s'établir sur le Pont des Arts, où il cherche, à l'aide d'une serinette,[5] à appeler sur son infortune l'attention et la pitié des
passants. . . .

A peu de distance de l'aveugle, et sur le même côté du pont,   20
un physicien en plein vent a établi son cabinet, lequel se compose
seulement de trois machines, dont l'une s'applique à la *statique*,
l'autre à la *dynamique*, et la troisième à *l'optique*. Ses expériences
se bornent à celles d'*une balance à cadran*,[6] où quelques badauds
vont s'assurer du poids de leur corps; d'un *dynamomètre*,[7] où   25
d'autres vont essayer la force de leurs poignets; enfin, d'un *micro-
scope*, où les curieux vont admirer la conformation de la peau,

2. *Comédie Italienne:* a theatre which eventually joined with the *Opéra-
Comique*. Many of its players were Italian actors.
3. *Carlin Bertinazzi:* actor known for his rôle as Harlequin.
4. *écus:* crowns. (One écu was formerly worth 3 francs.)
5. *serinette:* a small, simple hand-organ.
6. *une balance à cadran:* scale with a dial.
7. *dynamomètre:* dynamometer, an apparatus for measuring muscular effort.

et les animalcules [8] nageant dans une goutte de vinaigre. Si l'on
ajoute à ces trois personnages l'invalide manchot et le buraliste
bourgeonné,[9] du côté du Louvre, le vétéran boiteux et le receveur
étique,[10] du côté de l'Institut,[11] on aura la liste exacte des personnes qui ont fait élection de domicile sur le Pont des Arts.

Parmi ses habitants, on pourrait compter ces habitués qui s'y
rendent chaque jour, de midi à deux heures, pour jouir à leur aise
du spectacle innocent du passage d'un train de bois ou de l'arrivée
d'un bateau de charbon. Au nombre de ces habitués du Pont des
Arts, deux ou trois se font remarquer par une attitude de confiance
et de supériorité qui indique le degré de considération dont ils
jouissent parmi les autres. Le coude appuyé sur la balustrade, et
la lunette de corne [12] à la main ils prononcent magistralement sur
la hauteur de la rivière, sur l'adresse d'un chien qui nage, ou
sur la couleur d'un chat qui se noie. Ces bonnes gens regardent la
foule qui borde les quais de cet œil dédaigneux qu'un élégant du
balcon de l'Opéra laisse tomber sur le parterre.

Après ce léger examen des habitants et des habitués du Pont
des Arts, je me suis amusé à observer les passants; parmi les plus
matineux, j'ai observé ces cuisinières de bonnes maisons, connues
dans la livrée [13] sous le nom de *cordons bleus,* et qui, trop paresseuses pour aller aux Halles, dédaignant les marchés bourgeois
du faubourg Saint-Germain, vont faire leurs emplettes chez les
marchands de comestibles du Palais-Royal, au risque de payer
un tiers de plus des provisions qu'elles font payer le double à leurs
maîtres. Viennent ensuite les employés de la rive droite, qui se
rendent, en se promenant, à leurs bureaux et dont quelques-uns
profitent du passage du pont pour lire quelques pages du roman
qu'ils ont en poche.

8. *animalcules:* microscopic animals.
9. *le buraliste bourgeonné:* the pimply clerk.
10. *le receveur étique:* the emaciated ticket-taker.
11. *l'Institut = Institut de France:* composed of five academies, the best
known of which is the Académie Française.
12. *la lunette de corne:* horn spyglass.　　13. *dans la livrée:* among servants.

À dix heures, l'ouverture du Muséum attire une foule d'élèves
en peinture, qui vont au Louvre étudier les grands modèles. La
jeune fille accompagnée de sa mère, et son *cartable* sous le bras,
court y dessiner une tête de Raphaël ou du Titien, tandis que la
maman, les pieds contre le poêle, et l'œil sur sa fille, emploiera   5
le temps de la séance à broder une garniture de robe, dont l'aimable élève a dessiné le feston.[14]

Vers midi, le pont est fréquenté par des garçons de caisse [15]
du quartier d'Antin, qui vont faire la recette [16] chez les épiciers
de la rue du Four, et chez les merciers de la rue de Thionville.   10

Au concours d'hommes de lettres et de savants qu'on y rencontre
de deux à cinq heures, on s'aperçoit que le Pont des Arts est, en
effet, le chemin de l'Institut. C'est principalement un jour d'élection que cette place est curieuse à observer. Les amis du plus
habile candidat s'emparent des avenues, et attendent au passage   15
l'académicien de leur connaissance, qu'ils ont l'air de rencontrer
par hasard; il est si simple de parler de l'élection qui se prépare!
il est si naturel de faire valoir les titres d'un ami! Peut-être
serait-il plus généreux de ne pas déprécier ceux des autres con-
currents; mais l'amour de l'art a son enthousiasme, et l'amitié   20
son excuse: à force d'importunité, on obtient une promesse, que
celui qui la donne aura peut-être oubliée à la descente du perron.[17]
Au moyen d'un cordon de communication qui s'établit du pont
à la salle des séances, on est instruit, de minute en minute, de la
marche de l'élection, dont le plus zélé des amis, qui n'est pas   25
toujours le plus ingambe,[18] court annoncer le résultat à celui qui
s'y trouve le plus immédiatement intéressé. . . .

L'éclat du Pont des Arts tombe avec le jour: on y rencontre
encore, de loin en loin, quelques amateurs qui se rendent au
théâtre de l'Odéon, ou quelques écoliers qui retournent à leur   30

---

14. *le feston:* the scallop.
15. *garçons de caisse:* messengers who take the day's receipts to the bank.
16. *faire la recette:* make collections.   17. *perron:* steps (of the Institut).
18. *ingambe:* active, nimble.

chambre garnie de la rue de la Harpe, après avoir été se délasser au Français [19] des travaux d'une journée consacrée tout entière à l'étude.

L'Hermite de la Chaussée-d'Antin, 1812-14

19. *Français = Le Théâtre-Français: La Comédie Française.*

STENDHAL
1783-1842

Henri Beyle, whose pseudonym was Stendhal, was born in Grenoble in 1783. His mother died when he was young and Beyle was brought up by his father, whom he hated. Ability and application in mathematics allowed him to win first place in a competitive examination giving him the right to try for entry to the École polytechnique in Paris. Beyle went to Paris in 1799, but once there he decided not to continue his education. Instead, with the aid of a cousin, he obtained a commission as second lieutenant and participated in the Napoleonic Italian campaign. Italy, especially Milan, delighted him, and this enthusiasm lasted all of his life. Army life he found less agreeable; after two years he resigned his commission and returned to France. He spent some four years in Paris and Marseilles and then accepted a position in the commissariat branch of the army, serving in Germany, Austria, and Russia. He participated in Napoleon's Russian campaign and took part in the retreat from Moscow. For seven years after Waterloo he lived in Italy, chiefly in Milan, until he was expelled for suspected espionage. Between 1821 and 1830 he resided mainly in Paris where he wrote and published his first great novel, *Le Rouge et le Noir* (1830). The last twelve years of his life were spent as consul at Civitavecchia, a dreary port near Rome. He died in Paris on March 24, 1842.

Stendhal was in his mid-forties when he published his first

novel, *Armance*, in 1827. He was forty-seven years old at the time
of the publication of *Le Rouge et le Noir*, and fifty-six when he
completed what is perhaps his masterpiece, *La Chartreuse de
Parme* (1839). His present reputation, however, may be said to
rest almost as much on those of his works which were published
posthumously: the novels *Lucien Leuwen* and *Lamiel*, and his
memoirs of youth and adolescence, entitled *Vie de Henri Brulard*.
It is an excerpt from this last work which has been chosen for
inclusion here. Stendhal here makes no effort at stylization, no
attempt to match the elegance of form of Montaigne's *Essais* or
Rousseau's *Confessions*. Yet these memoirs are one of the best
possible introductions to the mind and manner of one of the most
influential writers of modern times.

Paris sans montagnes

Les environs de Paris m'avaient semblé horriblement laids, il n'y
avait point de montagnes! Ce dégoût augmenta rapidement les
jours suivants. . . .

Ce que je vois aujourd'hui fort nettement, et qu'en 1799 [1] je
sentais fort confusément, c'est qu'à mon arrivée à Paris deux   5
grands objets de désirs constants et passionnés tombèrent à rien
tout à coup. J'avais adoré Paris et les mathématiques. Paris sans
montagnes m'inspira un dégoût si profond qu'il allait presque
jusqu'à la nostalgie.[2] . . .

Dans le fait je n'avais aimé Paris que par dégoût profond pour   10
Grenoble.

Quant aux mathématiques, elles n'avaient été qu'un moyen. Je
les haïssais même un peu en novembre 1799 car je les craignais.

1. *1799:* the year of Stendhal's arrival in Paris (Nov. 10).
2. *la nostalgie:* nostalgia for Grenoble, which Stendhal detested, but which is
surrounded by mountains.

J'étais résolu à ne pas me faire examiner à Paris, comme firent
les sept ou huit élèves qui avaient remporté le premier prix après
moi à l'École Centrale [3] et qui tous furent reçus. Or si mon père
avait pris quelque soin il m'eût forcé à cet examen, je serais entré
à l'École,[4] et je ne pouvais plus *vivre à Paris en faisant des*   5
comédies.[5]

De toutes mes passions c'était la seule qui me restât. . . .

Le profond désappointement de trouver Paris peu aimable
m'avait embarrassé l'estomac. La boue de Paris, l'absence de montagnes, la vue de tant de gens occupés passant rapidement dans   10
de belles voitures à côté de moi connu de personne et n'ayant rien
à faire me donnaient un chagrin profond. . . .

J'étais dans les rues de Paris un rêveur passionné, regardant
au ciel et toujours sur le point d'être écrasé par un cabriolet. . . .

Sans aucun intervalle après la maladie je me vois logé dans   15
une chambre au second étage de la maison de M. Daru,[6] rue de
Lille (ou de Bourbon quand il y a des B[ourbons] en France),
n° 505. Cette chambre donnait sur quatre jardins, elle était assez
vaste, un peu en mansarde.[7] . . .

J'étais fort content de ma chambre sur les jardins, entre les   20
rues de Lille et de l'Université, avec un peu de vue sur la rue
Bellechasse.

La maison avait appartenu à Condorcet [8] dont la jolie veuve
vivait alors avec M. Fauriel [9] (aujourd'hui de l'Institut,[10] un vrai

3. *l'École Centrale:* Stendhal had received the first prize in mathematics at
the École centrale in Grenoble. The seven or eight second-place winners all
took the entrance exam for the École polytechnique and were all admitted to
the school.
4. *l'École* = *l'École polytechnique:* the state-run military college in Paris,
known for its high standards.
5. *vivre à Paris en faisant des comédies:* Upon his return to Paris in 1802
it was Stendhal's fervent wish to create « *des comédies comme Molière.* »
6. *Daru:* Stendhal's cousin, Noël Daru (1729-1804).
7. *en mansarde:* mansard-roofed, i.e. with a dormer-window.
8. *Condorcet:* 18th-century philosopher whose *Esquisse des progrès futurs*
expressed his ardent faith in human perfectibility.
9. *Fauriel:* critic and historian (1772-1844).
10. *l'Institut* = *l'Académie Française.*

Vue générale de Paris prise de Ménilmontant

savant aimant la science pour elle-même, chose si rare dans ce corps).

Condorcet pour n'être pas harcelé par le monde avait fait faire une échelle de meunier [11] en bois au moyen de laquelle il grimpait au troisième (j'étais au second) dans une chambre au-dessus de la mienne. Condorcet, l'auteur de cette *Esquisse des progrès futurs* que j'avais lue avec enthousiasme deux ou trois fois!

Hélas! mon cœur était changé. Dès que j'étais seul et tranquille et débarrassé de ma timidité, ce sentiment profond revenait:

« Paris, n'est-ce que ça? »

Cela voulait dire: Ce que j'ai tant désiré comme le souverain bien, la chose à laquelle j'ai sacrifié ma vie depuis trois ans, m'ennuie. Ce n'était pas le sacrifice de trois ans qui me touchait; malgré la peur d'entrer à l'École polytechnique l'année suivante, j'aimais les mathématiques, la question terrible que je n'avais pas assez d'esprit pour voir nettement était celle-ci: Où est donc le bonheur sur la terre? Et quelquefois j'arrivais jusqu'à celle-ci: Y a-t-il un bonheur sur la terre?

N'avoir pas de montagnes perdait absolument Paris à mes yeux. *Avoir dans les jardins des arbres taillés* l'achevait.

Vie de Henri Brulard, Chap. 36, 37, 39, 1890

11. *une échelle de meunier :* a trap stairs.

GEORGE SAND

1804-76

Aurore Dupin (who adopted the pseudonym George Sand in 1832) was born in Paris on July 1, 1804. Her father, an aristocratic army officer and a descendant of the Maréchal de Saxe, died when she was very young and she was brought up by her paternal grandmother at the family estate at Nohant, in the province of Berry. She later received a convent school education in Paris but saw little of the city she would one day overwhelm with her eccentricities. When she was sixteen, she returned to Nohant where she lived until her marriage, at eighteen, to the Baron Dudevant, a retired army officer nine years her senior. Two children, Maurice and Solange, were born of this marriage. By 1831, however, the couple had become estranged and the future George Sand and her daughter were in Paris, settled in the small three-room apartment described in the selection included here. In order to augment the allowance she received from her husband, George Sand began to write, first in collaboration with Jules Sandeau, then alone, signing articles and a novel with the nom de plume "Jules Sand." *Indiana,* an autobiographical novel, appeared under the pseudonym George Sand in 1832. From this point forward George Sand's novels became works of social protest: *Lélia* (1833) was a plea for the emancipation of women; *Le Compagnon du tour de France* (1840), a plea for social consciousness. Her life itself became a symbol of the principles she proclaimed. Affecting men's clothes and

57

men's manners, she became as unconventional in her dress as she
was in her behavior. Her liaisons with Alfred de Musset and with
Chopin were notorious. Then, quite abruptly after the Revolution
of 1848, George Sand retired from Paris to her estate in Berry
where she lived quietly as the respectable « *dame de Nohant,* »
surrounded by grandchildren and devoted villagers. *Les Maîtres
sonneurs* (1853), the best of her pastoral novels, and *Histoire de
ma vie* (1854-5), her twenty-volume autobiography and undoubtedly her best work, date from this period.

George Sand was a provincial at heart, but her determination
to lead a life of independence and freedom inevitably brought
her to Paris. For her, Paris was the battlefield on which a courageous woman could prove herself the equal of men.

Une Jeune Femme fait des économies à Paris

Je cherchai un logement et m'établis bientôt quai Saint-Michel,
dans une des mansardes de la grande maison qui fait le coin de
la place, au bout du pont, en face de la Morgue. J'avais là trois
petites pièces très propres donnant sur un balcon d'où je dominais
une grande étendue du cours de la Seine, et d'où je contemplais   5
face à face les monuments gigantesques de Notre-Dame, Saint-
Jacques-la-Boucherie,[1] la Sainte-Chapelle,[2] etc. J'avais du ciel, de
l'eau, de l'air, des hirondelles, de la verdure sur les toits; je ne
me sentais pas trop dans le Paris de la civilisation, qui n'eût
convenu ni à mes goûts ni à mes ressources, mais plutôt dans le   10
Paris pittoresque et poétique de Victor Hugo, dans la ville du
passé.

1. *Saint-Jacques-la-Boucherie:* The Tour St.-Jacques is all that remains today
of this church demolished in 1797.
2. *la Sainte-Chapelle:* the beautiful gothic church built for Saint Louis in the
13th century. Its stained glass windows are famous.

J'avais, je crois, trois cents francs de loyer par an. Les cinq
étages de l'escalier me chagrinaient fort, je n'ai jamais su monter;
mais il le fallait bien, et souvent avec ma grosse fille [3] dans les
bras. Je n'avais pas de servante; ma portière, très fidèle, très
propre et très bonne, m'aida à faire mon ménage pour 15 francs   5
par mois. Je me fis apporter mon repas de chez un gargotier [4] très
propre et très honnête aussi, moyennant 2 francs par jour. Je
savonnais et repassais moi-même le *fin*.[5] J'arrivai alors à trouver
mon existence possible dans la limite de ma pension. . . .

J'aurais voulu lire, je n'avais pas de livres de fond.[6] Et puis   10
c'était l'hiver, et il n'est pas économique de garder la chambre [7]
quand on doit compter les bûches. J'essayai de m'installer à la
bibliothèque Mazarine; [8] mais il eût mieux valu, je crois, aller
travailler sur les tours de Notre-Dame, tant il y faisait froid. Je ne
pus y tenir, moi qui suis l'être le plus frileux que j'aie jamais   15
connu. Il y avait là de vieux *piocheurs*,[9] qui s'installaient à une
table, immobiles, satisfaits, momifiés, et ne paraissant pas s'aperce-
voir que leurs nez bleus se cristallisaient. J'enviais cet état de
pétrification: je les regardais s'asseoir et se lever comme poussés
par un ressort, pour bien m'assurer qu'il n'étaient pas en bois.   20

Et puis encore j'étais avide de me déprovincialiser [10] et de me
mettre au courant des choses, au niveau des idées et des formes [11]
de mon temps. J'en sentais la nécessité, j'en avais la curiosité;
excepté les œuvres les plus saillantes, je ne connaissais rien des
arts modernes; j'avais surtout soif du théâtre.   25

Je savais bien qu'il était impossible à une femme pauvre de se
passer ces fantaisies. Balzac disait: « On ne peut pas être femme
à Paris à moins d'avoir 25 mille francs de rente. » Et ce paradoxe

---

3. *grosse fille:* her three-and-a-half-year-old daughter, Solange.
4. *gargotier:* keeper of a low-class restaurant.   5. *le fin:* fine linen.
6. *livres de fond:* basic library.
7. *garder la chambre:* to keep to one's room.
8. *la bibliothèque Mazarine:* one of the famous libraries of Paris, founded by
Cardinal Mazarin in the 17th century, and now part of the Institut de France.
9. *piocheurs:* (fam.) grinds.
10. *déprovincialiser:* to lose my provincial ways.   11. *formes:* manners.

d'élégance devenait une vérité pour la femme qui voulait être artiste.

Pourtant je voyais mes jeunes amis berrichons,[12] mes compagnons d'enfance, vivre à Paris avec aussi peu que moi et se tenir au courant de tout ce qui intéresse la jeunesse intelligente. Les événements littéraires et politiques, les émotions des théâtres et des musées, des clubs et de la rue, ils voyaient tout, ils étaient partout. J'avais d'aussi bonnes jambes qu'eux et de ces bons petits pieds du Berry qui ont appris à marcher dans les mauvais chemins, en équilibre sur de gros sabots. Mais sur le pavé de Paris, j'étais comme un bateau sur la glace. Les fines chaussures craquaient en deux jours, les socques [13] me faisaient tomber, je ne savais pas relever ma robe, j'étais crottée, fatiguée, enrhumée, et je voyais chaussures et vêtements, sans compter les petits chapeaux de velours arrosés par les gouttières, s'en aller en ruine avec une effrayante rapidité.

J'avais déjà fait ces remarques et ces expériences avant de songer à m'établir à Paris, et j'avais posé ce problème à ma mère, qui y vivait très élégante et très aisée avec 3,500 francs de rente : comment suffire à la plus modeste toilette dans cet affreux climat, à moins de vivre enfermée dans sa chambre sept jours sur huit? Elle m'avait répondu : « C'est très possible à mon âge et avec mes habitudes ; mais quand j'étais jeune et que ton père manquait d'argent, il avait imaginé de m'habiller en garçon. Ma sœur en fit autant, et nous allions partout à pied avec nos maris, au théâtre, à toutes les places. Ce fut une économie de moitié dans nos ménages. »

Cette idée me parut d'abord divertissante et puis très ingénieuse. Ayant été habillée en garçon durant mon enfance, ayant ensuite chassé en blouse et en guêtres avec Deschartres,[14] je ne me trouvai pas étonnée du tout de reprendre un costume qui n'était pas nouveau pour moi. A cette époque, la mode aidait singulièrement au déguisement. Les hommes portaient de longues redingotes carrées,

12. *berrichons :* from the province of Berry, south of Paris.
13. *les socques :* clogs.   14. *Deschartres :* George Sand's childhood tutor.

dites à la *propriétaire*, qui tombaient jusqu'aux talons et qui dessinaient si peu la taille que mon frère, en endossant la sienne à Nohant,[15] m'avait dit en riant : « C'est très joli, cela, n'est-ce pas ? C'est la mode, et ça ne gêne pas. Le tailleur prend mesure sur une guérite,[16] et ça irait à ravir à tout un régiment. »[17]

Je me fis donc faire une *redingote-guérite*[18] en gros drap gris, pantalon et gilet pareils. Avec un chapeau gris et une grosse cravate de laine, j'étais absolument un petit étudiant de première année. Je ne peux pas dire quel plaisir me firent mes bottes : j'aurais volontiers dormi avec, comme fit mon frère dans son jeune âge, quand il chaussa la première paire. Avec ces petits talons ferrés, j'étais solide sur le trottoir. Je voltigeais d'un bout de Paris à l'autre. Il me semblait que j'aurais fait le tour du monde. Et puis, mes vêtements ne craignaient rien. Je courais par tous les temps, je revenais à toutes les heures, j'allais au parterre de tous les théâtres. Personne ne faisait attention à moi et ne se doutait de mon déguisement. Outre que je le portais avec aisance, l'absence de coquetterie du costume et de la physionomie écartait tout soupçon. J'étais trop mal vêtue, et j'avais l'air trop simple (mon air habituel, distrait et volontiers hébété) pour attirer ou fixer les regards.

Histoire de ma vie, 1854-5

15. *Nohant :* George Sand's estate in Berry.
16. *une guérite :* a sentry-box.
17. *ça irait à ravir à tout un régiment :* (ironical) that would look perfectly smart on an entire regiment.
18. *Je me fis donc faire une redingote-guérite :* I therefore had a "sentry-box-frock-coat" made for me.

VICTOR HUGO
1802-85

Probably no other writer of modern times has so dominated the literature of his century as has Victor Hugo. Poet, novelist, dramatist, founder and mainspring of the romantic movement, Hugo towers over and dwarfs most of his contemporaries.

Born in Besançon, the son of a Napoleonic general and a Breton mother, Hugo spent his childhood in Corsica, Italy, and Spain before settling down in Paris to complete his studies. Already at the age of fourteen he had determined to become a writer: « *Je veux être Chateaubriand ou rien!* » In 1819, when he was seventeen, he and his brother founded a review, *Le Conservateur littéraire*, to which the young Victor was a frequent contributor. The publication of his first collection of *Odes* when he was twenty won him a small pension, which permitted him to marry his childhood sweetheart. *Han d'Islande*, his first novel, appeared in 1823. The celebrated *Préface de Cromwell* (1827) made Hugo the undisputed leader of the romantic group, and his *Hernani* (1830) marked the triumph of romanticism on the stage. It was followed by the great historical novel, *Notre-Dame de Paris* (1831). By the time he was thirty, Hugo had established a literary reputation extending far beyond the borders of France. He continued to write poetry with undiminishing power for another half century, creating such masterpieces as *Les Feuilles d'automne* (1831), *Les Contemplations* (1856), and *La Légende des siècles* (1859-83).

Meanwhile, another side of Hugo, his humanitarian vision, was growing. The sight of a prisoner being led to his execution inspired *Le Dernier Jour d'un condamné* (1829), an eloquent plea for abolition of the death penalty. The bloody street-fighting of the July Revolution of 1830 was the inspiration for an *Ode à la jeune France*, dedicated to the young revolutionaries who fought and died for freedom. Another street-skirmish in 1832 prompted Hugo to compose those pages of *Les Misérables* (1862) which describe the death of Gavroche, the immortal *gamin de Paris*.

When Napoleon III overthrew the Republic in 1852, Hugo went into self-imposed exile on the islands of Jersey and Guernsey and remained there for eighteen years. Many of his best works date from this period.

When Hugo died in Paris at the age of eighty-three, France went into national mourning. He was given a spectacular state funeral, but his body, as he himself had desired, was borne across Paris in a pauper's hearse to be placed in the crypt of the Panthéon, next to those of Voltaire and Rousseau.

Le Gamin de Paris

Le gamin de Paris est un être joyeux qui ne mange pas tous les jours et qui va au spectacle, si bon lui semble, tous les soirs. Le gamin de Paris n'a pas de chemise sur le corps, pas de souliers aux pieds, pas de toit sur la tête; il vit comme les oiseaux qui n'ont rien de tout cela. Il a de sept à treize ans, vit par bandes,   5 bat le pavé,[1] loge dans la rue, porte un vieux pantalon de son père qui lui descend plus bas que les talons, un vieux chapeau de quelque autre père qui lui descend plus bas que les oreilles, une seule bretelle en lisière jaune,[2] rit, joue, perd le temps, jure

1. *bat le pavé:* loafs about the streets.
2. *bretelle en lisière jaune:* suspender made of a yellow cloth strip.

comme un damné, hante le cabaret, connaît des voleurs, tutoie des
filles,[3] chante des chansons obscènes, et n'a rien de mauvais dans
le cœur. C'est qu'il a dans l'âme une perle, l'innocence; et les
perles ne se dissolvent point dans la boue.

Les Misères, 1845-8

3. *filles:* (fam.) prostitutes.

La Mort de Gavroche

Il rampait à plat ventre,[1] galopait à quatre pattes,[2] prenait son   5
panier aux dents, se tordait, glissait, ondulait, serpentait d'un
mort à l'autre, et vidait la giberne [3] ou la cartouchière [3] comme
un singe ouvre une noix.

De la barricade, dont il était encore assez près, on n'osait lui
crier de revenir, de peur d'appeler l'attention sur lui.   10

Sur un cadavre, qui était un caporal, il trouva une poire à
poudre.[4]

— Pour la soif, dit-il, en la mettant dans sa poche.

A force d'aller en avant, il parvint au point où le brouillard
de la fusillade devenait transparent.   15

Si bien que les tirailleurs de la ligne [5] rangés et à l'affût derrière leur levée de pavés, et les tirailleurs de la banlieue massés à
l'angle de la rue, se montrèrent soudainement quelque chose qui
remuait dans la fumée.

Au moment où Gavroche débarrassait de ses cartouches un   20
sergent gisant près d'une borne, une balle frappa le cadavre.

— Fichtre! [6] fit Gavroche. Voilà qu'on me tue mes morts.

Une deuxième balle fit étinceler le pavé à côté de lui. Une

1. *rampait à plat ventre:* crawled flat on his belly.
2. *à quatre pattes:* on all fours.   3. *giberne = cartouchière:* cartridge pouch.
4. *poire à poudre:* powder flask.   5. *la ligne:* line infantry.
6. *Fichtre!:* Hang it!

troisième renversa son panier. Gavroche regarda, et vit que cela venait de la banlieue.

Il se dressa tout droit, debout, les cheveux au vent, les mains sur les hanches, l'œil fixé sur les gardes nationaux qui tiraient, et il chanta: 5

> On est laid à Nanterre,
> C'est la faute à Voltaire,
> Et bête à Palaiseau,[7]
> C'est la faute à Rousseau.

Puis il ramassa son panier, y remit, sans en perdre une seule, 10 les cartouches qui en étaient tombées, et, avançant vers la fusillade, alla dépouiller une autre giberne. Là une quatrième balle le manqua encore. Gavroche chanta:

> Je ne suis pas notaire,
> C'est la faute à Voltaire,
> Je suis petit oiseau, 15
> C'est la faute à Rousseau.

Une cinquième balle ne réussit qu'à tirer de lui un troisième couplet:

> Joie est mon caractère, 20
> C'est la faute à Voltaire,
> Misère est mon trousseau,
> C'est la faute à Rousseau.

Cela continua ainsi quelque temps.

Le spectacle était épouvantable et charmant. Gavroche, fusillé, 25 taquinait la fusillade. Il avait l'air de s'amuser beaucoup. C'était le moineau becquetant[8] les chasseurs. Il répondait à chaque décharge par un couplet. On le visait sans cesse, on le manquait toujours. Les gardes nationaux et les soldats riaient en l'ajustant.[9]

---

7. *Palaiseau:* Like Nanterre, a Paris suburb. Gavroche is trying to provoke the *gardes nationaux* who come from these places.
8. *becquetant:* pecking at. 9. *en l'ajustant:* while aiming at him.

Il se couchait, puis se redressait, s'effaçait dans un coin de porte,
puis bondissait, disparaissait, reparaissait, se sauvait, revenait,
ripostait à la mitraille [10] par des pieds de nez,[11] et cependant pillait
les cartouches, vidait les gibernes et remplissait son panier. Les
insurgés, haletants d'anxiété, le suivaient des yeux. La barricade
tremblait; lui, il chantait. Ce n'était pas un enfant, ce n'était pas
un homme; c'était un étrange gamin fée. On eût dit le nain in-
vulnérable de la mêlée. Les balles couraient après lui, il était plus
leste qu'elles. Il jouait on ne sait quel effrayant jeu de cache-
cache [12] avec la mort; chaque fois que la face camarade du spectre
s'approchait, le gamin lui donnait une pichenette.[13]

Une balle pourtant, mieux ajustée ou plus traître que les autres,
finit par atteindre l'enfant feu follet.[14] On vit Gavroche chanceler,
puis il s'affaissa. Toute la barricade poussa un cri; mais il y avait
de l'Antée [15] dans ce pygmée; pour le gamin toucher le pavé, c'est
comme pour le géant toucher la terre; Gavroche n'était tombé
que pour se redresser; il resta assis sur son séant, un long filet
de sang rayait son visage, il éleva ses deux bras en l'air, regarda
du côté d'où était venu le coup, et se mit à chanter:

> Je suis tombé par terre,
> C'est la faute à Voltaire,
> Le nez dans le ruisseau,
> C'est la faute à ...

Il n'acheva point. Une seconde balle du même tireur l'arrêta
court. Cette fois il s'abattit la face contre le pavé, et ne remua plus.
Cette petite grande âme venait de s'envoler.

Les Misérables, 1862

10. *la mitraille:* grape-shot.
11. *par des pieds de nez:* by making long noses (faces).
12. *cache-cache:* hide-and-seek.
13. *une pichenette:* a fillip (a flick of the fingers).
14. *feu follet:* will-o'-the-wisp.
15. *Antée:* Antaeus, a Greek giant who was invincible so long as he remained
in contact with his mother, Earth.

HONORÉ DE BALZAC

1799-1850

For many people, the only real Paris is the one which forms the warp and woof of Balzac's fiction. Yet Paris was this great novelist's city by adoption, for Balzac was a provincial, born in Tours on May 20, 1799. It was not until the beginning of the Restoration, in 1814, that he came to Paris. After completing his secondary education, Balzac spent two years studying law, attending courses at the Sorbonne, and helping out in a lawyer's office. When he was twenty, he settled in a dismal garret on the rue Lesdiguères, determined to prove to his family that he could write. From the start, he gave evidence of an extraordinary capacity for work. In the four years between 1822 and 1825 he turned out eight popular, sensational novels, published under a variety of pseudonyms. A disastrous incursion into the printing business left him deeply in debt. Motivated now by the need to pay his creditors, Balzac committed himself to a rigorous work schedule, going to bed at six or seven o'clock in the evening, waking at one in the morning, and working until four the next afternoon. He had accepted, he said, « *toutes les conditions de la vie monastique, si nécessaire aux travailleurs.* » Between 1829 and his death in 1850, some eighty-five novels flowed from his pen, including the entire *Comédie humaine,* a portrait in seventeen volumes of French society from the Consulate (1799) to the July Monarchy (1848).

No writer had ever attempted anything so ambitious. No one

ever came nearer to fixing on paper so complete a picture of a generation. Balzac, in fact, created a world of his own, a world touching at every point the real world, yet possessing a life of its own. One of the unifying factors in this great creation was the reappearance of characters from one novel to the next. Another was the role assigned to Paris. For Balzac, the city itself was as much a personal entity as any of the 2,000 characters in *La Comédie humaine.* If today's reader admires Balzac's grandiose vision and his ability to breathe life into a host of unforgettable characters, he is equally indebted to this Parisian by adoption for some of the most vivid descriptions of a Paris which was to disappear all but totally within a few years of his death: « *Grâce à Balzac, nous conservons dans notre mémoire des coins de Paris dont nous pourrions douter qu'ils aient jamais existé.* » *

* André Bellesort, *Balzac et son œuvre* (Paris, 1924), p. 165.

Les Rues de Paris

Il est dans Paris certaines rues déshonorées autant que peut l'être un homme coupable d'infamie; puis il existe des rues nobles, puis des rues simplement honnêtes, puis de jeunes rues sur la moralité desquelles le public ne s'est pas encore formé d'opinion; puis des rues assassines, des rues plus vieilles que de vieilles douairières [1]   5 ne sont vieilles, des rues estimables, des rue toujours propres, des rues toujours sales, des rues ouvrières, travailleuses, mercantiles. Enfin, les rues de Paris ont des qualités humaines, et nous impriment par leur physionomie certaines idées contre lesquelles nous sommes sans défense. Il y a des rues de mauvaise compagnie où   10 vous ne voudriez pas demeurer, et des rues où vous placeriez volontiers votre séjour. Quelques rues, ainsi que la rue Montmartre, ont une belle tête et finissent en queue de poisson.[2] La rue de la

1. *douairières:* dowagers.   2. *finissent en queue de poisson:* fizzle out.

Paix est une large rue, une grande rue; mais elle ne réveille aucune des pensées gracieusement nobles qui surprennent une âme impressible [3] au milieu de la rue Royale, et elle manque certainement de la majesté qui règne dans la place Vendôme. Si vous vous promenez dans les rues de l'île Saint-Louis, ne demandez raison de la tristesse nerveuse qui s'empare de vous qu'à la solitude, à l'air morne des maisons et des grands hôtels [4] déserts. Cette île, le cadavre des fermiers-généraux,[5] est comme la Venise de Paris. La place de la Bourse est babillarde, active, prostituée; elle n'est belle que par un clair de lune, à deux heures du matin: le jour, c'est un abrégé de Paris; pendant la nuit, c'est comme une rêverie de la Grèce.[6] La rue Traversière-Saint-Honoré [7] n'est-elle pas une rue infâme? Il y a là de méchantes petites maisons à deux croisées,[8] où, d'étage en étage, se trouvent des vices, des crimes, de la misère. Les rues étroites exposées au nord, où le soleil ne vient que trois ou quatre fois dans l'année, sont des rues assassines qui tuent impunément; la Justice d'aujourd'hui ne s'en mêle pas; mais autrefois le Parlement eût peut-être mandé le lieutenant de police pour le vitupérer *à ces causes*,[9] et aurait au moins rendu quelque arrêt contre la rue, comme jadis il en porta contre les perruques du chapitre de Beauvais.[10] Cependant monsieur Benoiston de Châteauneuf [11] a prouvé que la mortalité de ces rues était du double

3. *impressible* = *impressionable*.   4. *hôtels:* mansions, town houses.
5. *fermiers-généraux:* tax-farmers, financiers of the *ancien régime* who paid highly for the privilege of collecting taxes, only a percentage of which they were obliged to return to the government. Their stately 17th-century *hôtels* may still be seen on the Île Saint-Louis.
6. *comme une rêverie de la Grèce:* The *Bourse* is a Grecian-styled building, surrounded by Corinthian columns.
7. *rue Traversière-Saint-Honoré:* Originally this street joined the rue Saint-Honoré to the rue de Richelieu. All that remains of it today is the small street called rue Molière.   8. *croisées:* casement windows.
9. à ces causes = *pour ces motifs*.
10. In 1685 a summons was served on a canon of the Beauvais cathedral for saying mass while wearing a wig. The legal proceedings were instituted by church authorities, however, instead of the *Parlement* (the high judicial court) in Paris, as Balzac seems to think.
11. *Châteauneuf:* 19th-century French statistician.

supérieure [12] à celle des autres. Pour résumer ces idées par un
exemple, la rue Fromenteau n'est-elle pas tout à la fois meurtrière
et de mauvaise vie? Ces observations, incompréhensibles, au delà
de Paris, seront sans doute saisies par ces hommes d'étude et de
pensée, de poésie et de plaisir qui savent récolter, en flânant dans   5
Paris, la masse de jouissances flottantes, à toute heure, entre ses
murailles; par ceux pour lesquels Paris est le plus délicieux des
monstres: là, jolie femme; plus loin, vieux et pauvre; ici, tout
neuf comme la monnaie d'un nouveau règne; dans ce coin, élégant
comme une femme à la mode. Monstre complet d'ailleurs! Ses   10
greniers, espèce de tête pleine de science et de génie; ses premiers
étages, estomacs heureux; ses boutiques, véritables pieds; de là
partent tous les trotteurs, tous les affairés. Eh! quelle vie toujours
active a le monstre? A peine le dernier frétillement des dernières
voitures de bal cesse-t-il au cœur que déjà ses bras se remuent aux   15
Barrières,[13] et il se secoue lentement. Toutes les portes bâillent,
tournent sur leurs gonds, comme les membranes d'un grand homard, invisiblement manœuvrées par trente mille hommes ou
femmes, dont chacune ou chacun vit dans six pieds carrés, y possède
une cuisine, un atelier, un lit, des enfants, un jardin, n'y voit pas   20
clair, et doit tout voir. Insensiblement les articulations craquent,[14]
le mouvement se communique, la rue parle. A midi, tout est vivant,
les cheminées fument, le monstre mange; puis il rugit, puis ses
mille pattes s'agitent. Beau spectacle! Mais, ô Paris! qui n'a pas
admiré tes sombres paysages, tes échappées de lumière, tes culs-   25
de-sac profonds et silencieux; qui n'a pas entendu tes murmures,
entre minuit et deux heures du matin, ne connaît encore rien de
ta vraie poésie, ni de tes bizarres et larges contrastes.

Ferragus, 1833

12. *du double supérieure:* twice as high.
13. *Barrières:* city gates, of which there were some fifty-seven at this time.
14. *les articulations craquent:* the joints crack, i.e. parts of the city (*monstre*)
begin to move.

ANAÏS BAZIN
1797-1850

For nearly three hundred years, Parisians have been faithful to their favorite promenade: *les boulevards*. Ever since the days of Louis XIV, when the old fortifications of Paris were razed to make the Promenade des Remparts, Parisians have enjoyed strolling along this broad, semi-circular line of boulevards extending from the Madeleine to the Place de la Bastille, and including the boulevards de la Madeleine, des Capucines, des Italiens, Montmartre, Poissonnière, Bonne-Nouvelle, Saint-Denis, Saint-Martin, du Temple, Filles-du-Calvaire, and Beaumarchais. The visitor walking along today's *grands boulevards* may find it difficult to imagine that these teeming thoroughfares were once a quiet promenade on the outskirts of Paris.

The author of the selection which follows, Anaïs Bazin de Raucou (who signed his works Anaïs Bazin), was a nineteenth-century historian and *boulevardier* who captured some of the charm of an earlier epoch when the boulevards were the very center of Paris life. Bazin, who was born in Paris in 1797, was the son of a wealthy lawyer. After studying at the Lycée Charlemagne and serving briefly in the royal bodyguard during the first Restoration, he practiced law for a time before finding his true vocation as a writer. His first book, a historical novel, was published in 1830. More serious historical studies on the life and times of Louis XIII appeared in 1838 and 1844. With the two

volumes of *L'Époque sans nom: Esquisses de Paris 1830-1833*,
which appeared in 1833, Bazin revealed himself as an *observateur
moraliste* in the tradition of Étienne de Jouy and La Bruyère.
L'Époque sans nom, declared Sainte-Beuve, « *c'est de* l'Hermite de
la Chaussée d'Antin, *beaucoup mieux fait et plus distingué; c'est
du La Bruyère en petit.* »

Les Boulevards

Voulez-vous connaître Paris, ses habitudes, ses goûts, le caractère
particulier de la vie qu'il s'est faite, et cela en peu de temps, à
peu de frais, sans aucune peine, comme on aime à tout savoir
aujourd'hui? Je vous dirai: Ne vous fatiguez pas à parcourir les
différents quartiers où sa population s'est distribuée, à visiter ses   5
monuments et ses établissements publics dont il ne se soucie
guère, à fréquenter assidûment toutes les maisons qui peuvent
vous être ouvertes, et ces lieux d'un plus facile accès où l'on se
rassemble pour chercher en commun le gain ou le plaisir. Vous
auriez vu cette foule de belles choses que les indicateurs [1] signalent   10
à votre curiosité dans leur longue nomenclature; [2] vous auriez
usé le crédit de vingt recommandations qui sont lettres de change [3]
payables en dîners; vous auriez assisté aux audiences des tribu-
naux, à la cohue de la Bourse, aux séances des sourds-muets et
des députés, aux bals de la cour et aux concerts de bienfaisance,   15
que vous pourriez bien n'avoir rien compris au mouvement de la
capitale, et remporter les idées les plus inexactes sur la physionomie morale de ses habitants. C'est que le Parisien ne se montre
pas avec sa véritable attitude, avec sa figure distinctive, là où
il est courbé pour le travail, enchaîné par un devoir, dominé par   20

1. *indicateurs:* guidebooks.   2. *nomenclature:* list.
3. *lettres de change:* bills of exchange.

quelque passion, mis à la gêne [4] par des intérêts, des convenances
ou des règles d'étiquette. L'atmosphère des salons, des ateliers,
des comptoirs, des assemblées, des théâtres, l'étouffe, l'abrutit,
l'asphyxie en quelque sorte; et voilà peut-être pourquoi il réussit
assez mal aux choses qui se délibèrent sous un toit de verre ou   5
d'ardoise. Il ne se retrouve complet que lorsqu'il vit à l'air, non
pas toutefois comme l'heureux habitant des pays chauds, qui s'épa-
nouit immobile et rêveur dans la contemplation d'un beau ciel,
mais lorsqu'il peut, entre deux averses, promener son loisir à
travers la foule, s'agitant à ne rien faire,[5] regardant, regardé,   10
heurtant, heurté, saluant, salué, et satisfait de n'avoir pas perdu
sa journée s'il a rencontré plusieurs visages de connaissance et
ramassé quelques nouvelles sur son chemin.

Cette vie extérieure, ce monde en plein vent, ce commerce de
regards, de propos, de compliments échangés au passage, cette   15
sociabilité ambulante, est surtout ce qui caractérise notre grande
ville, et ce qui en fait le principal agrément. . . .

Or, il existe un lieu merveilleusement propre à cet usage que
le Parisien fait de sa liberté, à ce continuel besoin de mouvement
et de pêle-mêle qui le pousse hors de son logis, qui lui fait aban-   20
donner plusieurs fois par jour toutes les aises de sa demeure, qui
le ramène de la campagne après une courte absence, comme s'il
craignait déjà d'être oublié. En vain lui ouvririez-vous la plus
belle promenade du monde, entourée de grilles, ombragée d'arbres
épais, ornée de statues bien décentes, gardée par des soldats qui   25
en interdisent l'entrée aux chiens, aux porteurs de fardeaux [6] et
aux gens mal-vêtus. Ce n'est pas là que vous l'amènerez; car il
n'affiche [7] pas à ce point le désœuvrement; il ne se permet guère
les Tuileries [8] que les dimanches. Mais il n'est pas d'homme si
affairé, si étroitement obligé à rendre compte de son temps, qui   30

4. *mis à la gêne:* tortured.   5. *s'agitant à ne rien faire:* busily doing nothing.
6. *fardeaux:* loads, burdens.   7. *affiche:* show off, flaunt.
8. *les Tuileries = le jardin des Tuileries:* « *la plus belle promenade du
monde* » referred to in the preceding sentence.

ne trouve le moyen de prendre sur ses occupations de quoi faire
un tour de boulevard.[9] Aussi, peut-on dire que tout le gai loisir
de la cité est renfermé dans cette ligne irrégulière qui s'étend
depuis le monument inachevé de la Madeleine [10] jusqu'au monument projeté de la Bastille; [11] deux limites portant empreint sur   5
leurs pierres d'attente le cachet de notre siècle, et au-delà desquelles sont placées les extrémités de la vie sociale; d'un côté,
le travail avec ses longues peines, ses joies brutales et les inquié-
tudes dont on le tourmente; de l'autre, le luxe qui s'endort trop
facilement, par un temps comme le nôtre, dans sa voluptueuse   10
imprévoyance. A voir les contours que décrit cette chaussée grisâtre, bordée de deux allées et encaissée entre deux rives de
maisons, vour diriez une autre Seine qui charrie des hommes,
recevant et déchargeant ses flots de distance en distance par des
affluents et des canaux nombreux. Ce n'est pas précisément une   15
promenade, puisqu'on y est affranchi de la consigne.[12] Ce n'est
pas tout à fait une rue, puisqu'on y est rarement éclaboussé, et
que plus de deux piétons peuvent y marcher de front [13] sans se
bousculer; c'est tout juste ce qu'il faut pour que des gens qui
aiment la foule et le bruit se portent naturellement vers un même   20
point sans paraître se chercher; les uns s'y rendant tout droit,
y faisant long séjour, étalant aux yeux des passants leur béante
oisiveté, les autres ayant un but dont ils se détournent, prenant
pour arriver à leurs affaires ce chemin, le plus long, que chacun
de nous connaît si bien, et dont la tradition ne s'est pas perdue   25
depuis La Fontaine; [14] tous, lorsqu'ils ont touché cet heureux

9. *qui ne trouve le moyen ... un tour de boulevard:* who cannot put his work
aside long enough to take a stroll on the boulevards.
10. *la Madeleine:* The church of the Madeleine, built in the form of a Greek
temple, was begun in 1764 but not consecrated until 1842.
11. *la Bastille:* The « *colonne de Juillet* » which today dominates the Place
de la Bastille was not erected until 1840.
12. *on y est affranchi de la consigne:* there are no restrictions there.
13. *de front:* abreast.
14. *La Fontaine:* The boulevards have been a favorite Parisian promenade
since the time of La Fontaine, the great 17th-century fabulist.

terrain par quelqu'une de ses issues, marchant d'un pas plus lent, affectant l'air inoccupé, s'arrêtant aux mille objets de curiosité dont la route est semée, et s'en détachant avec regret. En toute autre partie de la ville, vous pourriez vous croire à Londres, à Vienne, à Lyon, à Bordeaux; sur les boulevards, vous êtes sûr 5 d'être à Paris.

L'Époque sans nom, 1833

GÉRARD DE NERVAL

1808-55

Gérard de Nerval (a pseudonym for Gérard Labrunie) was born in Paris on May 27, 1808. His father was a doctor in Napoleon's armies. His mother, who had accompanied her husband on one of his campaigns, died in Silesia when Gérard was two years old. He was brought up by relatives in the Senlis area of the ancient province of Île-de-France, to the north of Paris. As a student at the Lycée Charlemagne in Paris he was a classmate of Théophile Gautier. Strongly influenced by German romanticism, he read widely in German literature and published a careful translation of Goethe's *Faust* when he was only twenty. His ardent romanticism brought him into the bohemian literary milieu he was to evoke later in his *Petits châteaux de Bohême* (1853) and *La Bohême galante* (1855). A small inheritance permitted him to travel to Italy in 1834 and later to Germany, Austria, and the Near East (*Voyage en Orient*, 1851; *Loreley: Souvenirs d'Allemagne*, 1852). After returning to France he experienced the great love of his life, which was for Jenny Colon, an actress. This unrequited love may have been the cause of his first mental breakdown in 1841. In the years that followed, Nerval fluctuated dangerously between sanity and lunacy. Further travels to Belgium, England, and Germany were followed by long stays in a private mental asylum. After 1851, Nerval's moments of sanity became increasingly rare. He somehow found the will to complete

such hauntingly beautiful poems as *Les Chimères* (1854) and the
two masterpieces, *Sylvie* (1853) and *Aurélia* (1855), before com-
mitting suicide in January 1855.

La Butte Montmartre

Il est véritablement difficile de trouver à se loger dans Paris. — Je
n'en ai jamais été si convaincu que depuis deux mois. Arrivé
d'Allemagne, après un court séjour dans une villa de banlieue,
je me suis cherché un domicile plus assuré que les précédents, dont
l'un se trouvait sur la place du Louvre et l'autre dans la rue du   5
Mail. — Je ne remonte qu'à six années. — Évincé du premier avec
vingt francs de dédommagement, que j'ai négligé, je ne sais pourquoi, d'aller toucher [1] à la Ville, j'avais trouvé dans le second ce
qu'on ne trouve plus guère au centre de Paris: une vue sur deux
ou trois arbres occupant un certain espace, qui permet à la fois   10
de respirer et de se délasser l'esprit en regardant autre chose
qu'un échiquier de fenêtres noires, où de jolies figures n'appa-
raissent que par exception. — Je respecte la vie intime de mes
voisins, et ne suis pas de ceux qui examinent avec des longues-
vues le galbe d'une femme qui se couche, ou surprennent à l'œil   15
nu les silhouettes particulières aux incidents et accidents de la vie
conjugale. — J'aime mieux tel horizon « à souhait pour le plaisir
des yeux », comme dirait Fénelon,[2] où l'on peut jouir, soit d'un
lever, soit d'un coucher de soleil, mais plus particulièrement du
lever. Le coucher ne m'embarrasse [3] guère: je suis sûr de le   20
rencontrer partout ailleurs que chez moi. Pour le lever, c'est
différent: j'aime à voir le soleil découper des angles sur les murs,
à entendre au dehors des gazouillements d'oiseaux, fût-ce de

1. *toucher:* to be paid.   2. *Fénelon:* 17th-century author of *Télémaque.*
3. *ne m'embarrasse guère:* scarcely bothers me (i.e. isn't as essential to me
as the sunrise).

Les Moulins de Montmartre en 1842

simples moineaux francs.[4] ... Grétry [5] offrait un louis pour entendre une chanterelle, je donnerais vingt francs pour un merle;
les vingt francs que la ville de Paris me doit encore!

J'ai longtemps habité Montmartre; on y jouit d'un air très pur,
de perspectives variées, et l'on y découvre des horizons magni-   5
fiques, soit « qu'ayant été vertueux, l'on aime à voir l'aurore », qui
est très belle du côté de Paris, soit qu'avec des goûts moins simples, on préfère ces teintes pourprées du couchant, où les nuages
déchiquetés et flottants peignent des tableaux de bataille et de
transfiguration au-dessus du grand cimetière,[6] entre l'arc de   10
l'Étoile et les coteaux bleuâtres qui vont d'Argenteuil à Pontoise.[7]

— Les maisons nouvelles s'avancent toujours, comme la mer dilu-
vienne qui a baigné les flancs de l'antique montagne, gagnant peu
à peu les retraites où s'étaient réfugiés les monstres informes
reconnus depuis par Cuvier.[8] — Attaqué d'un côté par la rue de   15
l'Empereur, de l'autre par le quartier de la mairie, qui sape les
âpres montées [9] et abaisse les hauteurs du versant de Paris, le
vieux mont de Mars [10] aura bientôt le sort de la butte des Moulins,
qui, au siècle dernier, ne montrait guère un front moins superbe.

— Cependant, il nous reste encore un certain nombre de coteaux   20
ceints d'épaisses haies vertes, que l'épine-vinette [11] décore tour à
tour de ses fleurs violettes et de ses baies pourprées.

Il y a là des moulins, des cabarets et des tonnelles,[12] des
élysées [13] champêtres et des ruelles silencieuses, bordées de chau-

4. *fût-ce de simples moineaux francs:* be they only simple house sparrows.
5. *Grétry:* a composer of light opera.
6. *cimetière = le cimetière Montmartre:* burial place for many writers and
artists.   7. *Argenteuil ... Pontoise:* localities to the northwest of Paris.
8. *Cuvier:* 19th-century naturalist, known for his work on fossils.
9. *montées:* slopes.
10. *mont de Mars = Montmartre:* Nerval gives a pagan etymology in place of
the original Christian one: *Mons martyrum* (the hill where Saint Denis
suffered martyrdom).
11. *l'épine-vinette:* barberry (a shrub with spines, yellow flowers, and oblong
red berries).   12. *tonnelles:* arbors, bowers.
13. *élysées:* Elysia or paradises.

mières, de granges et de jardins touffus, des plaines vertes coupées
de précipices, où les sources filtrent dans la glaise, détachant peu
à peu certains îlots de verdure où s'ébattent des chèvres, qui
broutent l'acanthe [14] suspendue aux rochers; des petites filles à l'œil
fier, au pied montagnard, les surveillent en jouant entre elles. On
rencontre même une vigne, la dernière du cru [15] célèbre de Montmartre, qui luttait, du temps des Romains, avec Argenteuil et
Suresnes.[16] Chaque année, cet humble coteau perd une rangée de
ses ceps rabougris,[17] qui tombent dans une carrière. — Il y a dix
ans, j'aurais pu l'acquérir au prix de trois mille francs. . . . On en
demande aujourd'hui trente mille. C'est le plus beau point de vue
des environs de Paris.

Promenades et Souvenirs, 1854-5

14. *l'acanthe:* acanthus (a prickly herb).   15. *cru:* vineyard.
16. *Suresnes:* a locality to the west of Paris, once noted, as was Argenteuil,
for its vineyards.   17. *ceps rabougris:* stunted vine-stocks.

CHARLES BAUDELAIRE

1821-67

Charles Baudelaire, who was born in Paris on April 9, 1821, is one of the first major poets since François Villon to write of Paris. Baudelaire's father, an amateur painter, died when Baudelaire was six years old, and his mother married an army officer who was inalterably opposed to the eccentricities and poetic aspirations of his young stepson. After being expelled from the Collège Louis-le-Grand, where he had been an excellent student, Baudelaire was placed on a ship bound for India. He left the ship at Mauritius, stayed a short while there and in Réunion, and then returned to Paris. Having now reached his majority, he came into a small inheritance left by his father and found lodgings on the Île Saint-Louis. He proceeded to live the life of a "dandy." His first book, a work of art criticism, appeared in 1845. Two years later he discovered and began translating the work of Edgar Allan Poe, in which he found direct confirmation of his own aesthetic theories. Nearly all of Baudelaire's verse was published in the single volume of *Les Fleurs du Mal* (1857), a collection which has marked all of modern poetry. It was followed by various articles on art and literary criticism and by the series of anecdotes and prose versions of poems entitled *Petits Poèmes en prose*. In 1866, while on a lecture tour in Belgium, Baudelaire was stricken with paralysis. Fifteen months later, he died in Paris at the age of forty-six.

Le Mauvais Vitrier, the prose poem which follows, is set in the poor quarter of Paris. While the incident it describes is not autobiographical, it reveals Baudelaire's belief in a malevolent influence which lingers over Paris and controls the destinies of its inhabitants.

Le Mauvais Vitrier

Il y a des natures purement contemplatives et tout à fait impropres à l'action, qui cependant, sous une impulsion mystérieuse et inconnue, agissent quelquefois avec une rapidité dont elles se seraient crues elles-mêmes incapables.

Tel qui, craignant de trouver chez son concierge une nouvelle chagrinante, rôde lâchement une heure devant sa porte sans oser rentrer, tel qui garde quinze jours une lettre sans la décacheter, ou ne se résigne qu'au bout de six mois à opérer une démarche nécessaire depuis un an, se sentent quelquefois brusquement précipités vers l'action par une force irrésistible, comme la flèche d'un arc. Le moraliste et le médecin, qui prétendent tout savoir, ne peuvent pas expliquer d'où vient si subitement une si folle énergie à ces âmes paresseuses et voluptueuses, et comment, incapables d'accomplir les choses les plus simples et les plus nécessaires, elles trouvent à une certaine minute un courage de luxe pour exécuter les actes les plus absurdes et souvent même les plus dangereux.

Un de mes amis, le plus inoffensif rêveur qui ait existé, a mis une fois le feu à une forêt pour voir, disait-il, si le feu prenait avec autant de facilité qu'on l'affirme généralement. Dix fois de suite, l'expérience manqua; mais, à la onzième, elle réussit beaucoup trop bien.

Un autre allumera un cigare à côté d'un tonneau de poudre, *pour voir, pour savoir, pour tenter la destinée,* pour se contraindre lui-même à faire preuve d'énergie, pour faire le joueur, pour connaître les plaisirs de l'anxiété, pour rien, par caprice, par désœuvrement.

C'est une espèce d'énergie qui jaillit de l'ennui et de la rêverie; et ceux en qui elle se manifeste si opinément [1] sont, en général, comme je l'ai dit, les plus indolents et les plus rêveurs des êtres.

Un autre, timide à ce point qu'il baisse les yeux même devant les regards des hommes, à ce point qu'il lui faut rassembler toute sa pauvre volonté pour entrer dans un café ou passer devant le bureau d'un théâtre, où les contrôleurs [2] lui paraissent investis de la majesté de Minos, d'Éaque et de Rhadamante,[3] sautera brusquement au cou d'un vieillard qui passe à côté de lui et l'embrassera avec enthousiasme devant la foule étonnée.

Pourquoi? Parce que ... parce que cette physionomie lui était irrésistiblement sympathique? Peut-être; mais il est plus légitime de supposer que lui-même il ne sait pas pourquoi.

J'ai été plus d'une fois victime de ces crises et de ces élans, qui nous autorisent à croire que des Démons malicieux se glissent en nous et nous font accomplir, à notre insu, leurs plus absurdes volontés.

Un matin je m'étais levé maussade, triste, fatigué d'oisiveté, et poussé, me semblait-il, à faire quelque chose de grand, une action d'éclat; [4] et j'ouvris la fenêtre, hélas!

(Observez, je vous prie, que l'esprit de mystification qui, chez quelques personnes, n'est pas le résultat d'un travail ou d'une combinaison, mais d'une inspiration fortuite, participe beaucoup, ne fût-ce que par l'ardeur du désir, de cette humeur, hystérique selon les médecins, satanique selon ceux qui pensent un peu mieux que les médecins, qui nous pousse sans résistance vers une foule d'actions dangereuses ou inconvenantes.)

La première personne que j'aperçus dans la rue, ce fut un vitrier dont le cri perçant, discordant, monta jusqu'à moi à travers

1. *opinément:* doggedly.   2. *contrôleurs:* ticket takers.
3. *Minos ... Éaque ... Rhadamante:* judges in the lower world.
4. *une action d'éclat:* a brilliant feat of arms.

la lourde et sale atmosphère parisienne. Il me serait d'ailleurs impossible de dire pourquoi je fus pris à l'égard de ce pauvre homme d'une haine aussi soudaine que despotique.

« Hé! hé! » et je lui criai de monter. Cependant je réfléchissais, non sans quelque gaieté, que, la chambre étant au sixième étage et l'escalier fort étroit, l'homme devait éprouver quelque peine à opérer son ascension et accrocher en maint endroit les angles de sa fragile marchandise.

Enfin il parut: j'examinai curieusement toutes ses vitres, et je lui dis: « Comment? vous n'avez pas de verres de couleur? des verres roses, rouges, bleus, des vitres magiques, des vitres de paradis? Impudent que vous êtes! vous osez vous promener dans des quartiers pauvres, et vous n'avez pas même de vitres qui fassent voir la vie en beau! » Et je le poussai vivement vers l'escalier, où il trébucha en grognant.

Je m'approchai du balcon et je me saisis d'un petit pot de fleurs, et quand l'homme reparut au débouché de la porte, je laissai tomber perpendiculairement mon engin de guerre sur le rebord postérieur de ses crochets; [5] et, le choc le renversant, il acheva de briser sous son dos toute sa pauvre fortune ambulatoire qui rendit le bruit éclatant d'un palais de cristal crevé par la foudre.

Et, ivre de ma folie, je lui criai furieusement: « La vie en beau! la vie en beau! »

Ces plaisanteries nerveuses ne sont pas sans péril, et on peut souvent les payer cher. Mais qu'importe l'éternité de la damnation à qui a trouvé dans une seconde l'infini de la jouissance?

Le Spleen de Paris, 1869

5. *crochets:* carrier (used by the glazier to carry glass panes on his back).

CHARLES-AUGUSTIN SAINTE-BEUVE

1804-69

France's greatest critic, Charles-Augustin Sainte-Beuve, was born in Boulogne-sur-Mer on December 23, 1804. He came to Paris to study medicine from 1823 to 1827 but soon abandoned his studies to ally himself with the young romantics as a journalist and poet. His first collection of poetry, *Vie, poésies et pensées de Joseph Delorme* (1829), which introduced a new intimate note in French poetry, was much admired by Baudelaire and Verlaine. A novel, *Volupté* (1837), met with only negligible success. Turning his attention then to literary criticism, Sainte-Beuve began creating the *"portraits"* on which his fame would ultimately rest. *Critiques et Portraits littéraires* appeared in 1836, followed by *Portraits de femmes* (1844), *Portraits contemporains* (1846), and the five volumes of *Port-Royal* (1840-59). But it is the fifteen volumes of the *Causeries du Lundi* (1857-72) for which Sainte-Beuve is best known today. These literary articles appeared every Monday morning over a period of twenty years, from 1849 to 1869, in the Paris dailies, the *Constitutionnel*, the *Moniteur*, and the *Temps*. Between articles, Sainte-Beuve liked to leave his quiet study in the rue Montparnasse for a leisurely stroll along that bustling center of Paris life, *les boulevards*. The invocation to Paris which follows was undoubtedly inspired by one such promenade.

Paris à vol d'oiseau vers 1860

Hymne à Paris

Paris, ville de lumière, d'élégance et de facilité, c'est chez toi qu'il est doux de vivre, c'est chez toi que je veux mourir! Ville heureuse où l'on est dispensé d'avoir du bonheur, où il suffit d'être et de se sentir habiter; qui fait plaisir, comme on le disait autrefois d'Athènes, rien qu'à regarder; où l'on voit juste plus naturellement qu'ailleurs, où l'on ne s'exagère rien, où l'on ne se fait des monstres de rien; où l'on respire, pour ainsi dire, avec l'air, même ce qu'on ne sait pas, où l'on n'est pas étranger même à ce qu'on ignore; centre unique de ressources et de liberté, où la solitude est possible, où la société est commode et toujours voisine, où l'on est à cent lieues ou à deux pas; où une seule matinée embrasse et satisfait toutes les curiosités, toutes les variétés de désirs; où le plus sauvage, s'il est repris du besoin des hommes, n'a qu'à traverser les ponts, à parcourir cette zone brillante qui s'étend de la Madeleine au Gymnase; [1] et là, en quelques instants, il a tout retrouvé, il a tout vu, il s'est retrempé en plein courant, il a ressenti les plus vifs stimulants de la vie, il a compris la vraie philosophie parisienne, cette facilité, cette grâce à vivre, même au milieu du travail, cette sagesse rapide qui consiste à savoir profiter d'une heure de soleil! Combien de fois, après des journées et des semaines de retraite et d'étude, me trouvant là vers trois heures sur ces boulevards fourmillants, j'ai rencontré de ces hommes que M. de Pontmartin [2] décrit si affreux, si terribles, qui sont de la littérature active, ou des théâtres ou des journaux grands et petits! Je ne sais pourquoi, peut-être est-ce parce qu'elles sont rares, mais ces rencontres me plaisent toujours; j'y gagne, j'y apprends de ces gaies et folles nouvelles qui autrement courraient risque de ne m'arriver jamais, j'entends de ces mots spirituels que toute la méditation ne donnerait pas, je m'y aiguise.... Et puis, quand je

1. *de la Madeleine au Gymnase* = *les boulevards* (from the church of the Madeleine to the Théâtre du Gymnase, i.e., blvd. de la Madeleine, blvd. des Capucines, blvd. des Italiens, blvd. Montmartre, and blvd. Poissonnière).
2. *M. de Pontmartin*: 19th-century critic.

rentre dans mes quartiers non lettrés et tout populaires, quand je m'y replonge dans la foule comme cela me plaît surtout les soirs de fête, j'y vois ce que n'offrent pas à beaucoup près, dit-on, toutes les autres grandes villes, une population facile, sociable et encore polie; et s'il m'arrive d'avoir à fendre un groupe un peu trop épais, j'entends parfois sortir ces mots d'une lèvre en gaieté: *Respect à l'âge!* ou: *Place à l'ancien!* Je suis averti alors et assez désagréablement, je l'avoue, de ce qu'on est toujours si tenté d'oublier, mais je le suis avec égard, avec politesse; de quoi me plaindrais-je? Oh! Paris, Paris de tous les temps, Paris ancien et nouveau, toujours maudit, toujours regretté et toujours le même, oh! que Montaigne déjà te connaissait bien! C'est chez toi qu'il est doux de vivre, c'est chez toi que je veux mourir!

Nouveaux Lundis, III, 1865

ÉMILE ZOLA
1840-1902

Émile Zola was born in Paris on April 2, 1840. His mother was French, from Burgundy; his father was an Italian engineer. When Zola was three, the family moved to Aix-en-Provence, where the elder Zola began the construction of a canal which still bears his name. Before the canal could be completed, however, the father suddenly died, leaving the family virtually penniless. Madame Zola and her two children remained in Aix for eleven more years. When the family returned to Paris in 1858, Émile was able to obtain a scholarship to the Lycée Saint-Louis. After twice failing to pass the *baccalauréat* examination, he was forced to seek work, first as a customs clerk, then as an employee in the publishing firm of Hachette. Zola began in the shipping department but before long had worked his way into a position where he was able to come into contact with some of the best-known writers and thinkers of his day. The critic Sainte-Beuve, the historian Michelet, and the philosopher Taine soon became his advisers and friends. In 1864, Zola published his first book, *Contes à Ninon,* followed by an autobiographical novel, *Les Confessions de Claude,* in 1865. *Thérèse Raquin,* a powerfully written story of premeditated murder, appeared in 1867; it was the first of his early realist novels. At about the same time, Zola conceived the plan for the great Rougon-Macquart cycle of novels (1871-93). This vast series, subtitled *Histoire naturelle et sociale d'une famille sous le second*

Empire, drew its inspiration from Taine's deterministic philosophy and from the scientific method described by Claude Bernard in his *Introduction à la médecine expérimentale.* Heredity and environment are shown to have molded five generations of one family, the Rougon-Macquarts, as they move through these twenty novels which inaugurated the naturalistic school in French literature.

Zola's special gift lies in his description of masses of people and the milieu in which they work, live, and die. *Le Ventre de Paris* (1873) portrays life in the huge, buzzing Halles of Paris, while *Au Bonheur des dames* (1883) depicts the activity of an enormously successful Paris department store. *Germinal* (1885), perhaps Zola's masterpiece, is a study of the victims of industrialism in the coal mines. In no work, however, does Zola demonstrate a greater understanding of the Parisian working class and its environment than in *L'Assommoir* (1877), from which the selection that follows is taken. The heroine, Gervaise (a laundress), has just married Coupeau (a zinc-roofer), and the entire wedding party, made up of the couple's uneducated, working-class friends, decides to visit the Louvre together.

Promenade de noce

Enfin, après avoir descendu la rue Croix-des-Petits-Champs, on arriva au Louvre.

M. Madinier, poliment, demanda à prendre la tête du cortège.

C'était très grand, on pouvait se perdre; et lui, d'ailleurs, connaissait les beaux endroits, parce qu'il était souvent venu avec un   5
artiste, un garçon bien intelligent, auquel une grande maison de cartonnage achetait des dessins, pour les mettre sur des boîtes.[1] En bas, quand la noce se fût engagée dans le musée assyrien, elle

1. *auquel une grande maison . . . sur des boîtes:* whose drawings a large firm of cardboard makers purchased, to put on boxes.

eut un petit frisson. Fichtre! [2] il ne faisait pas chaud; la salle
aurait fait une fameuse cave.[3] Et, lentement les couples avançaient,
le menton levé, les paupières battantes, entre les colosses de pierre,
les dieux de marbre noir, muets dans leur raideur hiératique, les
bêtes monstrueuses, moitié chattes et moitié femmes, avec des figures de mortes, le nez aminci, les lèvres gonflées. Ils trouvaient
tout ça très vilain. On travaillait joliment mieux la pierre au jour
d'aujourd'hui.[4] Une inscription en caractères phéniciens les stupé-
fia. Ce n'était pas possible, personne n'avait jamais lu ce grimoire.
Mais M. Madinier, déjà sur le premier palier avec Mme Lorilleux,
les appelait, criant sous les voûtes:

— Venez donc. Ce n'est rien, ces machines... C'est au premier
qu'il faut voir.

La nudité sévère de l'escalier les rendit graves. Un huissier
superbe, en gilet rouge, la livrée galonnée d'or, qui semblait les
attendre sur le palier, redoubla leur émotion. Ce fut avec respect,
marchant le plus doucement possible, qu'ils entrèrent dans la
galerie française.

Alors, sans s'arrêter, les yeux emplis de l'or des cadres, ils
suivirent l'enfilade des petits salons, regardant passer les images,
trop nombreuses pour être bien vues. Il aurait fallu une heure
devant chacune, si l'on avait voulu comprendre. Que de tableaux,
sacredié! [5] ça ne finissait pas. Il devait y en avoir pour de l'argent.[6]
Puis, au bout, M. Madinier les arrêta brusquement devant le
Radeau de la Méduse; [7] et il leur expliqua le sujet. Tous, saisis,
immobiles, se taisaient. Quand on se remit à marcher, Boche ré-
suma le sentiment général: c'était tapé.[8]

---

2. *Fichtre!:* (fam.) Phew!   3. *une fameuse cave:* a great wine cellar.
4. *On travaillait joliment mieux la pierre au jour d'aujourd'hui:* They carved
stone a whole lot better nowadays.
5. *sacredié!* = *sacré Dieu:* (profane) damn it all!
6. *Il devait y en avoir pour de l'argent:* (fam.) They must have cost a fortune.
7. *Radeau de la Méduse:* Géricault's celebrated painting of the dying
survivors of the *Méduse,* a ship that went down off the coast of Africa in
1816 with a great loss of life.   8. *tapé:* (fam.) first-rate.

Dans la galerie d'Apollon, le parquet surtout émerveilla la société, un parquet luisant, clair comme un miroir où les pieds des banquettes se reflétaient. Mlle Remanjou fermait les yeux, parce qu'elle croyait marcher sur de l'eau. On criait à Mme Gaudron de poser ses souliers à plat, à cause de sa position. 5 M. Madinier voulait leur montrer les dorures et les peintures du plafond; mais ça leur cassait le cou, et ils ne distinguaient rien. Alors, avant d'entrer dans le salon carré, il indiqua une fenêtre du geste, en disant:

— Voilà le balcon d'où Charles IX a tiré sur le peuple.[9] 10

Cependant, il surveillait la queue du cortège. D'un geste, il commanda une halte, au milieu du salon carré. Il n'y avait là que des chefs-d'œuvre, murmurait-il à demi-voix, comme dans une église. On fit le tour du salon. Gervaise demanda le sujet des *Noces de Cana;*[10] c'était bête de ne pas écrire les sujets sur les 15 cadres. Coupeau s'arrêta devant la Joconde,[11] à laquelle il trouva une ressemblance avec une de ses tantes. Boche et Bibi-la-Grillade ricanaient, en se montrant du coin de l'œil les femmes nues; les cuisses de l'Antiope[12] surtout leur causèrent un saisissement. Et, tout au bout, le ménage Gaudron, l'homme la bouche ouverte, la 20 femme les mains sur son ventre, restaient béants, attendris et stupides, en face de la Vierge de Murillo.[13]

Le tour du salon terminé, M. Madinier voulut qu'on recommençât; ça en valait la peine. Il s'occupait beaucoup de Mme Lorilleux, à cause de sa robe de soie; et, chaque fois qu'elle l'in- 25 terrogeait, il répondait gravement avec un grand aplomb. Comme elle s'intéressait à la maîtresse du Titien, dont elle trouvait la

9. *Charles IX a tiré sur le peuple:* Charles IX ordered the bloody massacre of Huguenots on St. Bartholomew's Day (August 24, 1572) and himself fired on fugitives fleeing past his royal palace, the Louvre.
10. *Noces de Cana:* celebrated painting by the 16th-century Venetian master, Paolo Veronese. 11. *la Joconde:* the Mona Lisa.
12. *l'Antiope:* The 16th-century Italian master Correggio depicted the mythological Antiope as a nude asleep under a tree.
13. *Murillo:* 17th-century Spanish painter.

chevelure jaune pareille à la sienne, il la lui donna pour la belle
Ferronnière, une maîtresse d'Henri IV, sur laquelle on avait joué
un drame, à l'Ambigu.[14]

Puis, la noce se lança dans la longue galerie où sont les écoles
italiennes et flamandes. Encore des tableaux, toujours des tableaux,
des saints, des hommes et des femmes avec des figures qu'on ne
comprenait pas, des paysages tout noirs, des bêtes devenues jaunes,
une débandade de gens et de choses, dont le violent tapage de
couleurs commençait à leur causer un gros mal de tête. M. Madinier ne parlait plus, menait lentement le cortège, qui le suivait
en ordre, tous les cous tordus et les yeux en l'air. Des siècles d'art
passaient devant leur ignorance ahurie,[15] la sécheresse fine des
primitifs, les splendeurs des Vénitiens, la vie grasse et belle de
lumière des Hollandais. Mais ce qui les intéressait le plus, c'étaient
encore les copistes, avec leurs chevalets installés parmi le monde,
peignant sans gêne; une vieille dame, montée sur une grande
échelle, promenant un pinceau à badigeon [16] dans le ciel tendre
d'une immense toile, les frappa d'une façon particulière. Peu à
peu, pourtant, le bruit avait dû se répandre qu'une noce visitait
le Louvre; des peintres accouraient, la bouche fendue d'un rire,[17]
des curieux s'asseyaient à l'avance sur des banquettes, pour assister
commodément au défilé; tandis que les gardiens, les lèvres pincées,
retenaient des mots d'esprit. Et la noce, déjà lasse, perdant de son
respect, traînait ses souliers à clous, tapait ses talons sur les
parquets sonores, avec le piétinement d'un troupeau débandé,
lâché au milieu de la propreté nue et recueillie des salles.

M. Madinier se taisait pour ménager un effet. Il alla droit à la
Kermesse [18] de Rubens. Là, il ne dit toujours rien, il se contenta

14. Madinier has made a number of serious errors: « *La belle Ferronnière* »
was the mistress of François Ier (not Henri IV), the subject of a painting by
Leonardo da Vinci (not Titien), and the heroine of a novel (not a play at the
Théâtre de l'Ambigu).   15. *ignorance ahurie:* bewildered ignorance.
16. *promenant un pinceau à badigeon:* dabbing away with a house painter's
brush.   17. *la bouche fendue d'un rire:* with broad grins.
18. *la Kermesse:* The Kermesse, by the 17th-century Flemish painter Rubens,
depicts an outdoor festival of country people reveling in a mood of hectic
gaiety.

d'indiquer la toile, d'un coup d'œil égrillard. Les dames, quand
elles eurent le nez sur la peinture, poussèrent de petits cris; puis,
elles se détournèrent, très rouges. Les hommes, les retinrent, rigo-
lant, cherchant les détails orduriers.

— Voyez donc! répétait Boche, ça vaut l'argent. En voilà un
qui dégobille.[19] Et celui-là, il arrose les pissenlits.[20] Et celui-là,
oh! celui-là... Eh bien! ils sont propres,[21] ici.

— Allons-nous en, dit M. Madinier, ravi de son succès. Il n'y
a plus rien à voir de ce côté.

La noce retourna sur ses pas, traversa de nouveau le salon carré
et la galerie d'Apollon. Mme Lerat et Mlle Remanjou se plai-
gnaient, déclarant que les jambes leur rentraient dans le corps.[22]
Mais le cartonnier voulait montrer à Lorilleux les bijoux anciens.
Ça se trouvait à côté, au fond d'une petite pièce, où il serait allé
les yeux fermés. Pourtant, il se trompa, égara la noce le long de
sept ou huit salles, désertes, froides, garnies seulement de vitrines
sévères où s'alignaient une quantité innombrable de pots cassés
et de bonshommes[23] très laids. La noce frissonnait, s'ennuyait
ferme.[24] Puis, comme elle cherchait une porte, elle tomba dans les
dessins. Ce fut une nouvelle course immense: les dessins n'en finis-
saient pas, les salons succédaient aux salons, sans rien de drôle,
avec des feuilles de papier gribouillées,[25] sous des vitres, contre
les murs. M. Madinier, perdant la tête, ne voulant point avouer
qu'il était perdu, enfila[26] un escalier, fit monter un étage à la
noce. Cette fois, elle voyageait au milieu du musée de la marine,
parmi des modèles d'instruments et de canons, des plans en relief,
des vaisseaux grands comme des joujoux.[27] Un autre escalier se
rencontra, très loin, au bout d'un quart d'heure de marche. Et,

19. *En voilà un qui dégobille:* There's one fellow throwing up.
20. *Et celui-là, il arrose les pissenlits:* And that one's watering the dandelions.
21. *ils sont propres:* This is a fine place (ironic).
22. *les jambes leur rentraient dans le corps:* (fam.) their legs were about to
fall off.   23. *bonshommes:* (here) statuettes.
24. *s'ennuyait ferme:* was bored stiff.
25. *gribouillées:* (fam.) covered with scribbles.   26. *enfila:* went up.
27. *joujoux:* (fam.) toys.

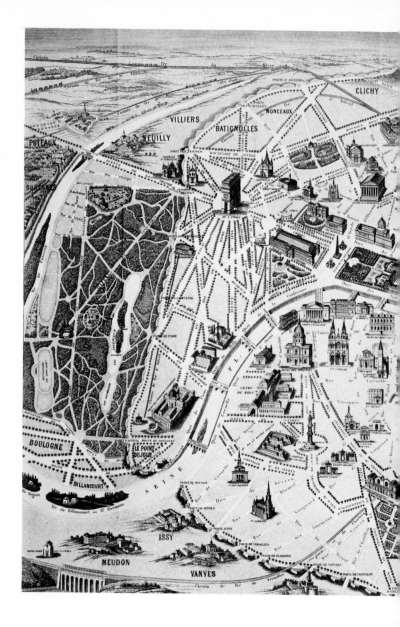

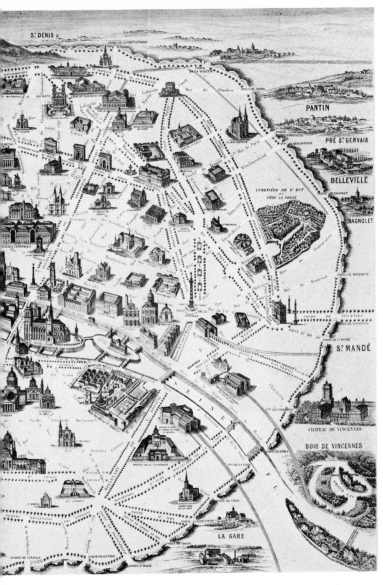

Les Monuments publics de Paris, au temps du Second Empire

l'ayant descendu, elle se retrouva en plein [28] dans les dessins.
Alors, le désespoir la prit, elle roula au hasard des salles, les
couples toujours à la file,[29] suivant M. Madinier, qui s'épongeait
le front, hors de lui, furieux contre l'administration, qu'il accusait
d'avoir changé les portes de place. Les gardiens et les visiteurs la   5
regardaient passer, pleins d'étonnement. En moins de vingt minutes, on la revit au salon carré, dans la galerie française, le long
des vitrines où dorment les petits dieux de l'Orient. Jamais plus
elle ne sortirait. Les jambes cassées,[30] s'abandonnant, la noce faisait un vacarme énorme, laissant dans sa course le ventre de Mme   10
Gaudron en arrière.

— On ferme! on ferme! crièrent les voix puissantes des gardiens.

Et elle faillit se laisser enfermer. Il fallut qu'un gardien se mît
à sa tête, la reconduisît jusqu'à une porte. Puis, dans la cour de
Louvre, lorsqu'elle eut repris ses parapluies au vestiaire, elle res-   15
pira. M. Madinier retrouvait son aplomb; il avait eu tort de ne
pas tourner à gauche; maintenant, il se souvenait que les bijoux
étaient à gauche. Toute la société, d'ailleurs, affectait d'être contente d'avoir vu ça.

Quatre heures sonnaient. On avait encore deux heures à em-   20
ployer avant le dîner. On résolut de faire un tour,[31] pour tuer le
temps. Les dames, très lasses, auraient bien voulu s'asseoir; mais,
comme personne n'offrait des consommations, on se remit en
marche, on suivit le quai. Là, une nouvelle averse arriva, si drue,
que, malgré les parapluies, les toilettes des dames s'abîmaient.   25
Mme Lorilleux, le cœur noyé à chaque goutte qui mouillait sa
robe, proposa de se réfugier sous le Pont-Royal; d'ailleurs, si on
ne la suivait pas, elle menaçait d'y descendre toute seule. Et le
cortège alla sous le Pont-Royal. On y était joliment bien. Par
exemple, on pouvait appeler ça une idée chouette![32] Les dames   30
étalèrent leurs mouchoirs sur les pavés, se reposèrent là, les ge-

28. *en plein:* right in the middle.
29. *les couples toujours à la file:* the couples still in line, two by two.
30. *Les jambes cassées:* exhausted.   31. *faire un tour:* take a walk.
32. *une idée chouette!* (fam.) a swell idea!

noux écartés, arrachant des deux mains les brins d'herbe poussés
entre les pierres, regardant couler l'eau noire, comme si elles se
trouvaient à la campagne. Les hommes s'amusèrent à crier très
fort, pour éveiller l'écho de l'arche, en face d'eux; Boche et Bibi-
la-Grillade, l'un après l'autre, injuriaient le vide, lui lançaient à   5
toute volée: [33] « Cochon! » et riaient beaucoup, quand l'écho leur
renvoyait le mot; puis, la gorge enrouée, ils prirent des cailloux
plats et jouèrent à faire des ricochets. L'averse avait cessé, mais
la société se trouvait si bien, qu'elle ne songeait plus à s'en aller.
La Seine charriait des nappes grasses, de vieux bouchons et des   10
épluchures de légumes, un tas d'ordures qu'un tourbillon retenait
un instant, dans l'eau inquiétante, tout assombrie par l'ombre de
la voûte; tandis que, sur le pont, passait le roulement des omnibus
et des fiacres, la cohue de Paris, dont on apercevait seulement les
toits, à droite et à gauche, comme du fond d'un trou. Mlle Reman-   15
jou soupirait; s'il y avait eu des feuilles, ça lui aurait rappelé,
disait-elle, un coin de la Marne,[34] où elle allait, vers 1817, avec
un jeune homme qu'elle pleurait encore.[35]

   Cependant, M. Madinier donna le signal du départ. On traversa
le jardin des Tuileries, au milieu d'un petit peuple d'enfants dont   20
les cerceaux et les ballons dérangèrent le bel ordre des couples.
Puis, comme la noce, arrivée sur la place Vendôme, regardait la
colonne, M. Madinier songea à faire une galanterie aux dames;
il leur offrit de monter dans la colonne pour voir Paris. Son offre
parut très farce.[36] Oui, oui il fallait monter, on en rirait long-   25
temps. D'ailleurs, ça ne manquait pas d'intérêt pour les personnes
qui n'avaient jamais quitté le plancher aux vaches.[37]

   — Si vous croyez que la Banban va se risquer là-dedans, avec
sa quille! [38] murmurait Mme Lorilleux.

33. *lançaient à toute volée:* yelled at the top of their lungs.
34. *la Marne:* the Marne river, a tributary of the Seine.
35. *qu'elle pleurait encore:* whose loss she was still mourning.
36. *Son offre parut très farce:* His idea seemed very amusing.
37. *le plancher aux vaches:* dry land.
38. *Si vous croyez que la Banban ... avec sa quille:* You don't think Limpy
will take a chance on that staircase, with her leg!

— Moi, je monterais volontiers, disait Mme Lerat, mais je ne veux pas qu'il y ait d'homme derrière moi.

Et la noce monta. Dans l'étroite spirale de l'escalier, les douze grimpaient à la file, butant contre les marches usées, se tenant aux murs. Puis, quand l'obscurité devint complète, ce fut une bosse de rires.[39] Les dames poussaient de petits cris. Les messieurs les chatouillaient, leur pinçaient les jambes. Mais elles étaient bien bêtes de causer! on a l'air de croire que ce sont des souris.[40] D'ailleurs, ça restait sans conséquence; ils savaient s'arrêter où il fallait, pour l'honnêteté. Puis, Boche trouva une plaisanterie que toute la société répéta. On appelait Mme Gaudron, comme si elle était restée en chemin, et on lui demandait si son ventre passait. Songez donc! si elle s'était trouvée prise là, sans pouvoir monter ni descendre, elle aurait bouché le trou, on n'aurait jamais su comment s'en aller. Et l'on riait de ce ventre de femme enceinte, avec une gaîté formidable qui secouait la colonne. Ensuite, Boche, tout à fait lancé, déclara qu'on se faisait vieux, dans ce tuyau de cheminée; ça ne finissait donc pas, on allait donc au ciel? Et il cherchait à effrayer les dames, en criant que ça remuait. Cependant, Coupeau ne disait rien; il venait derrière Gervaise, la tenait à la taille, la sentait s'abandonner. Lorsque, brusquement, on rentra dans le jour, il était juste en train de lui embrasser le cou.

— Eh bien! vous êtes propres, ne vous gênez pas tous les deux! [41] dit Mme Lorilleux d'un air scandalisé.

Bibi-la-Grillade paraissait furieux. Il répétait entre ses dents:

— Vous en faites un bruit! Je n'ai pas seulement pu compter les marches.

Mais M. Madinier, sur la plateforme, montrait déjà les monuments. Jamais Mme Fauconnier ni Mlle Remanjou ne voulurent sortir de l'escalier; la pensée seule du pavé, en bas, leur tournait

39. *une bosse de rires:* a great deal of loud laughter.
40. *Mais elles étaient bien bêtes de causer! on a l'air de croire que ce sont des souris:* But they weren't so silly as to say anything, thinking it was better to pretend that what they felt were mice.
41. *vous êtes propres, ne vous gênez pas tous les deux!:* You're fine ones! Oh, don't mind us!

les sangs; [42] et elles se contentaient de risquer des coups d'œil par
la petite porte. Mme Lerat, plus crâne,[43] faisait le tour de l'étroite
terrasse, en se collant contre le bronze du dôme. Mais c'était tout
de même rudement émotionnant, quand on songeait qu'il aurait
suffi de passer une jambe.[44] Quelle culbute,[45] sacré Dieu! Les   5
hommes, un peu pâles, regardaient la place. On se serait cru en
l'air, séparé de tout. Non, décidément, ça vous faisait froid aux
boyaux.[46] M. Madinier, pourtant, recommandait de lever les yeux,
de les diriger devant soi, très loin; ça empêchait le vertige. Et il
continuait à indiquer du doigt les Invalides, le Panthéon, Notre-   10
Dame, la tour Saint-Jacques, les buttes Montmartre. Puis, Mme
Lorilleux eut l'idée de demander si l'on apercevait, sur le boulevard de la Chapelle, le marchand de vin où l'on allait manger, au
Moulin-d'Argent. Alors, pendant dix minutes, on chercha, on se
disputa même; chacun plaçait le marchand de vin à un endroit.   15
Paris, autour d'eux, étendait son immensité grise, aux lointains
bleuâtres, ses vallées profondes, où roulait une houle de toitures;
toute la rive droite était dans l'ombre, sous un grand haillon de
nuage cuivré; [47] et, du bord de ce nuage, frangé d'or, un large
rayon coulait, qui allumait les milliers de vitres de la rive gauche   20
d'un pétillement d'étincelles, détachant en lumière ce coin de la
ville sur le ciel très pur, lavé par l'orage.

— Ce n'était pas la peine de monter pour nous manger le nez,[48]
dit Boche, furieux, en reprenant l'escalier.

La noce descendit, muette, boudeuse, avec la seule dégringo-   25
lade [49] des souliers sur les marches. En bas, M. Madinier voulait
payer. Mais Coupeau se récria, se hâta de mettre dans la main du
gardien vingt-quatre sous, deux sous par personne. Il était près

42. *leur tournait les sangs:* made their heads spin.
43. *plus crâne:* (fam.) more courageous.
44. *il aurait suffi de passer une jambe:* all you had to do was let one foot slip.
45. *Quelle culbute:* What a somersault.
46. *ça vous faisait froid aux boyaux:* (fam.) that made your blood run cold.
47. *haillon de nuage cuivré:* ragged, copper-colored cloud.
48. *pour nous manger le nez:* (fam.) just to start squabbling.
49. *dégringolade:* (fam.) patter.

de cinq heures et demie; on avait tout juste le temps de rentrer. Alors, on revint par les boulevards et par le faubourg Poissonnière. Coupeau, pourtant, trouvait que la promenade ne pouvait pas se terminer comme ça; il poussa tout le monde au fond d'un marchand de vin, où l'on prit du vermouth.   5

L'Assommoir, 1877

ANATOLE FRANCE

1844-1924

Jacques Anatole François Thibault, who wrote under the pen
name of Anatole France, was the son of a Parisian bookdealer.
The touch and even the smell of the musky volumes in his father's
shop on the quai Malaquais fascinated this boy who first came to
know Paris by strolling along the *quais* and browsing among the
stalls of the *bouquinistes*. After completing his studies at the
Collège Stanislas in Paris, he found a position as clerk in a book-
store. From there he went on to become a reader in the publishing
house of Lemerre. His first success as a writer came with the publication of *Le Crime de Sylvestre Bonnard* (1881), a subtly ironical novel written in a graceful and beautiful style. The moral and
political crisis engendered by the Dreyfus case was described by
Anatole France in *M. Bergeret à Paris* (1901). Henceforth, although he had been raised in a strict Catholic, conservative family,
he rejected the narrow views of his background and began taking
an increased interest in social problems. His wit and intelligence
were dedicated to satirizing French politics, religion, and mili-
tarism. *L'Histoire contemporaine* (1896-1901), *Crainquebille*
(1904), *L'Île des pingouins* (1908), and *Les Dieux ont soif* (1912)
attested to his new-found concern for a world of social justice.
For these and other contributions, he was awarded the Nobel
prize for literature in 1921.

It would be difficult to find an author more distinctly Parisian

Un Quai à Paris

than Anatole France. This «*vrai Parisien de Paris*» writes of his
city with the tender love of the native son who has grown up and
matured in the very heart of Paris, within sight of the Louvre,
Notre-Dame, and the Seine.

Les Quais de la Seine

Si j'ai jamais goûté l'éclatante douceur d'être né dans la ville des
pensées généreuses, c'est en me promenant sur ces quais où, du
palais Bourbon [1] à Notre-Dame, on entend les pierres conter une
des plus belles aventures humaines, l'histoire de la France ancienne et de la France moderne. On y voit le Louvre ciselé comme   5
un joyau, le Pont-Neuf qui porta sur son robuste dos, autrefois
terriblement bossu, trois siècles et plus de Parisiens musant aux
bateleurs [2] en revenant de leur travail, criant « Vive le roi » au
passage des carrosses dorés, poussant des canons en acclamant la
liberté aux jours révolutionnaires, ou s'engageant, en volontaires,   10
à servir sans souliers, sous le drapeau tricolore, la patrie en danger. Toute l'âme de la France a passé sur ces arches vénérables où
des mascarons,[3] les uns souriants, les autres grimaçants, semblent
exprimer les misères et les gloires, les terreurs et les espérances,
les haines et les amours dont ils ont été témoins durant des siècles.   15
On y voit la place Dauphine avec ses maisons de brique telles
qu'elles étaient quand Manon Phlipon [4] y avait sa chambrette de
jeune fille. On y voit le vieux palais de Justice, la flèche rétablie [5]

1. *palais Bourbon:* the seat of the Assemblée Nationale, directly across the
Seine from the Place de la Concorde.
2. *musant aux bateleurs:* idling about before street tumblers. (Tabarin, a
famous clown, performed on the Pont-Neuf in the early 17th century.)
3. *mascarons:* grotesque masks (on the keystones of the arches of the
Pont-Neuf).
4. *Manon Phlipon:* Mme Roland, 18th-century Frenchwoman who went to the
guillotine crying « O liberté, que de crimes on commet en ton nom! »
5. *rétablie:* restored (in 1854, after having been destroyed by fire three
times).

de la Sainte-Chapelle, l'Hôtel de Ville et les tours de Notre-Dame.

C'est là qu'on sent mieux qu'ailleurs les travaux des générations, le progrès des âges, la continuité d'un peuple, la sainteté du travail accompli par les aïeux à qui nous devons la liberté et les studieux loisirs. C'est là que je sens pour mon pays le plus tendre et le plus ingénieux amour. C'est là qu'il m'apparaît clairement que la mission de Paris est d'enseigner le monde. De ces pavés de Paris, qui se sont tant de fois soulevés pour la justice et la liberté, ont jailli les vérités qui consolent et délivrent. Et je retrouve ici, parmi ces pierres éloquentes, le sentiment que Paris ne manquera jamais à sa vocation.

Pierre Nozière, 1899

COLETTE
1873-1954

The vitality and effervescence of Paris took this unsophisticated provincial completely by surprise. For the first nineteen years of her life, Sidonie Gabrielle Colette had lived in the small Burgundian village of Saint-Sauveur-en-Puisaye. When she was twenty, Henri Gauthier-Villars, a Parisian chronicler and man-about-town who signed his works "Willy," married her and brought her to the capital. Although she had never written a line before in her life, Willy asked her to put her school memories onto paper. Colette dutifully bought some school notebooks and began writing. It did not take Willy long to recognize the commercial potentialities of his young wife's naïve approach and unaffected language. By 1900 Willy and Colette were collaborating on a series of novels based on Colette's girlhood memories. These Claudine stories — *Claudine à l'école* (1900), *Claudine à Paris* (1901), *Claudine en ménage* (1902) and *Claudine s'en va* (1903) — were an immediate and sensational success. In Claudine, the imaginary fifteen-year-old heroine in a little round collar, Colette had created a type. By 1904, however, Willy and Colette's collaboration had come to an end, and in 1906 the couple was divorced. For a while, Colette tried her hand at being a music-hall artist. She appeared at the Moulin Rouge, yet still found time for writing. *Dialogue de bêtes*, the first of her animal stories and the first work to which she was able to sign her own name, appeared in 1904. It was

followed by a number of semi-autobiographical impressions of
country life (*Les Vrilles de la vigne*, 1908) and of life in music
halls (*L'Envers du music-hall*, 1913). As her style matured, Colette's vision, sensitive and feminine, narrowed its scope to the
subject of love. *La Vagabonde* (1911), *Chéri* (1920), *La Fin de
Chéri* (1926), and *Gigi* (1944) are all variations on this one
theme.

Although she lived in Paris for more than fifty years, Colette
remained a provincial at heart. Her best writing is imbued with
an extraordinarily direct feeling for the earth and for the world
of the senses. Often, as in this evocation of her entry into the Paris
of *la belle époque,* she is able to capture moments of experience in
a highly suggestive style that is at once direct, uncomplicated, and
amusing.

Sortir seule à Paris

Après le déjeuner, j'affirme mon indépendance.

— Papa, je sors.

(Ça ne passe pas si bien que j'aurais cru.)

— Tu sors? Avec Mélie, je pense?

— Non, elle a du raccommodage.   5

— Comment, tu veux sortir toute seule?

J'ouvre des yeux comme des palets de tonneau: [1]

— Pardi,[2] bien sûr, je sors toute seule, qu'est-ce qu'il y a?

— Il y a qu'à Paris, les jeunes filles . . .

— Voyons, papa, il faut tâcher d'être logique avec soi-même.   10
A Montigny,[3] je « trôlais » [4] dans les bois tout le temps: c'était

---

1. *comme des palets de tonneau:* wide as saucers (lit., like the metal disks
used for playing at *tonneau,* a game of skill in which disks are aimed at
various openings in a barrel).   2. *Pardi = parbleu:* Good Heavens!
3. *Montigny:* a village in Burgundy.   4. « *trôlais* »: used to run about.

rudement [5] plus dangereux qu'un trottoir de Paris, il me semble.

— Il y a du vrai. Mais je pourrais pressentir à Paris des dangers d'une autre nature. Lis les journaux.

— Ah! fi, mon père, c'est offenser votre fille qu'admettre même une telle supposition! (Papa n'a pas l'air de comprendre cette [5] allusion superfine. Sans doute il néglige Molière qui ne s'occupe pas assez de limaces.[6]) Et puis, je ne lis jamais les faits divers.[7] Je vais aux magasins du Louvre: [8] il faut que je sois propre pour le dîner de ma tante Cœur, je manque de bas fins et mes souliers blancs sont usés. Do-moi de la belle argent, j'ai plus que cent six [10] sous.[9]

Eh bien, ce n'est pas si terrible de sortir seule dans Paris. J'ai rapporté de ma petite course à pied des observations très intéressantes: 1° il fait beaucoup plus chaud qu'à Montigny; 2° on a le dedans du nez noir quand on rentre; 3° on se fait remarquer quand [15] on stationne seule devant les kiosques à journaux; 4° on se fait également remarquer quand on ne se laisse pas manquer de respect sur le trottoir.

Narrons l'incident relatif à l'observation n° 4. Un monsieur très bien m'a suivie, rue des Saints-Pères. Pendant le premier [20] quart d'heure, jubilation intérieure de Claudine. Suivie par un monsieur très bien; comme dans les images d'Albert Guillaume! [10] Deuxième quart d'heure: le pas du monsieur se rapproche, je presse le mien, mais il garde sa distance. Troisième quart d'heure: le monsieur me dépasse, en me pinçant le derrière d'un air détaché. [25] Bond de Claudine, qui lève son parapluie et l'assène sur la tête du

5. *rudement* (fam.) = *beaucoup*.
6. *limaces:* slugs (related to snails). Claudine's father is writing a treatise on shellfish.   7. *faits divers:* news items.
8. *magasins du Louvre:* Paris department store.
9. *Do-moi de la belle argent, j'ai plus que cent six sous:* Gimme some money. I have only about five francs. (A sou was formerly the twentieth part of a franc.)   10. *Albert Guillaume:* 19th-century illustrator.

monsieur, avec une vigueur toute fresnoise.[11] Chapeau du monsieur dans le ruisseau, joie immense des passants, disparition de Claudine confuse de son trop grand succès.

Claudine à Paris, 1901
Éditions Albin Michel, tous droits réservés

11. *une vigueur toute fresnoise:* fine Fresnois vigor. (The fictional Fresnois closely resembles Colette's native Burgundy.)

JEAN GIRAUDOUX
1882-1944

Jean Giraudoux, diplomatist, novelist, and playwright, was born in the small town of Bellac in the Limousin area of central France where his father was employed as a civil servant. Giraudoux was a brilliant student, winning first prizes in French, Latin, Greek, and history at the *lycée* in Châteauroux and going off on scholarship to the Lycée Lakenal in Paris to prepare for entrance to the École normale supérieure. At the École normale, while specializing in Germanic studies, Giraudoux developed that *esprit normalien* which can be seen in the nonchalant erudition that is one of the characteristics of his work. After traveling to Germany on a scholarship, Giraudoux returned to live the life of the typical Latin Quarter student, frequenting cafés more assiduously than libraries. The result was that he failed to pass the *agrégation*. Instead, he accepted another scholarship, this one to Harvard, where he spent the academic year 1907-8. When he returned to France, he began to write, first as a journalist, then as a serious novelist. His first book, *Provinciales* (1909), was favorably reviewed by André Gide. The next year, almost on impulse, he decided to take the examination for the French consular service. Much to his surprise, he won first place. He accepted the appointment and for the next thirty years of his life led a double career as diplomat and writer. In 1917, during World War I, he returned to the United States briefly on an official mission for the French

La Construction de la tour Eiffel

government. *Amica America* (1919), a fanciful portrait of this country, was the result of this visit. It was followed by a series of masterpieces: *Suzanne et le Pacifique* (1921), *Siegfried et le Limousin* (1922), *Juliette au pays des hommes* (1924), and *Bella* (1926). Giraudoux's sophisticated wit was, if anything, even better suited to the stage than to the novel. His first play, *Siegfried* (1928), was based on his novel. It was followed in 1929 by *Amphitryon 38* and by *Intermezzo* in 1933. His greatest success, *La Guerre de Troie n'aura pas lieu*, was produced in 1935. *La Folle de Chaillot* was staged by Louis Jouvet in 1945, after Giraudoux's death.

While he was thus earning a reputation as the most original dramatist of his time, Giraudoux had not been neglecting his career as a professional diplomat. As Inspector-General of French Diplomatic and Consular posts, he traveled abroad frequently, visiting the Near East, Poland, the Balkan states, the United States, and Canada. But of all the cities he had come to know in his travels throughout the world, Giraudoux knew and loved Paris best.

The two meditations on Paris which follow are couched in the elliptical, suggestive style that is Giraudoux's trademark. They may best be approached as *poèmes en prose*.

Prière sur la tour Eiffel

Ainsi, j'ai sous les yeux les cinq mille hectares [1] du monde où il a été le plus pensé, le plus parlé, le plus écrit. Le carrefour de la planète qui a été le plus libre, le plus élégant, le moins hypocrite. Cet air léger, ce vide au-dessous de moi, ce sont les stratifications, combien accumulées, de l'esprit, du raisonnement, du goût. Ainsi   5

---

1. *hectares:* 1 hectare = 2.47 acres.

tous ces amoindrissements et mutilations qu'ont subis les hommes,
il y a plus de chance, ici plus que partout ailleurs, y compris
Babylone et Athènes, pour que les aient valus la lutte avec la
laideur, la tyrannie et la matière.[2] Tous les accidents du travail
sont ici des accidents de la pensée. Il y a plus de chance qu'ailleurs
pour que les dos courbés, les rides de ces bourgeois et de ces artisans aient été gagnés à la lecture, à l'impression, à la reliure de
Descartes[3] et de Pascal.[4] Pour que ces lorgnons sur ce nez aient
été rendus nécessaires par Commines et par Froissart.[5] Pour que
cette faiblesse des paupières ait été gagnée à la copie du manuel
héraldique,[6] ou, dans un atelier, parce que des gens n'ont pas
voulu transiger avec certain chrome ou certain écarlate. Pour que
ce manchot ait eu le doigt, puis la main, puis l'autre main coupés,
en retenant près du radium la barque (si vous voulez et si vous
avez saisi l'allusion à ce combat de Salamine) de nos maux.[7]
Voilà l'hectare où la contemplation de Watteau[8] a causé le plus
de pattes-d'oie.[9] Voilà l'hectare où les courses pour porter à la
poste Corneille,[10] Racine[11] et Hugo ont donné le plus de varices.[12]
Voilà la maison où habite l'ouvrier qui se cassa la jambe en répa-
rant la plaque de Danton.[13] Voilà, au coin du quai Voltaire, le

2. *Ainsi tous ces amoindrissements ... et la matière:* Thus, as for all these
diminutions and mutilations which men have suffered, there is more
likelihood, here more than anywhere else, including Babylon and Athens,
that the struggle against ugliness, tyranny, and matter was responsible
for them.
3. *Descartes:* the 17th-century French philosopher and mathematician.
4. *Pascal:* the 17th-century French philosopher and mathematician.
5. *Commines ... Froissart:* medieval French chroniclers.
6. *manuel héraldique:* armorial handbook.
7. *la barque ... de nos maux:* Giraudoux is comparing the heroes of modern
medicine (here, the radiologist) with the Athenians who defeated the Persian
fleet near the island of Salamis in 480 B.C.
8. *Watteau:* 18th-century French painter of *l'Embarquement pour Cythère.*
9. *pattes-d'oie:* crow's feet (wrinkles about the eyes).
10. *Corneille:* the creator of the 17th-century French classical tragedy.
11. *Racine:* the greatest French dramatist (1639-99).
12. *varices:* varicose veins.
13. *Danton:* a leader of the French Revolution who advocated moderation in
the use of terror.

centiare [14] où il fut gagné le plus de gravelle [15] à combattre le despotisme.

Juliette au pays des hommes, 1924
Éditions Bernard Grasset, tous droits réservés

14. *le centiare* = one square meter.
15. *gravelle:* (Med.) stones, as in kidney stones.

Paradoxes parisiens

Paris est la ville où l'homme le plus riche peut jouir d'une modeste aisance, l'homme le plus intelligent d'un esprit modeste, et où l'homme le plus endurci se retrouve sensible. Cette métamorphose, qui du roi fait un citoyen attentif, de l'indifférent un vulnérable, de l'étudiant un roi, de l'exilé farouche un autochtone, qui les lie, par des fils que rien ne pourra rompre, à leur marchand de journaux, à leur garçon de restaurant, qui les modèle aux esclaves bénévoles de leur concierge, de leur taxi et du pourboire, qui leur donne la liberté sans le désert, l'altitude sans la montagne, elle n'est guère possible qu'à Paris. Sur aucune autre place de l'Opéra, devant aucun autre Arc de Triomphe, dans aucun autre Ritz, l'homme ne peut goûter à la fois cette double satisfaction d'être inconnu et évident. Cette espèce de grade que le séjour à Paris nous confère aussi automatiquement que la fréquentation de l'université une licence,[1] il est hors de doute que c'est un grade moral. . . .

Notre promenade la plus simple coupe la trace de Racine, épouse une minute un itinéraire de Montaigne, se fond soudain dans une promenade de Napoléon. La porte de la Seine est celle qui menait Molière à Chaillot et au *Misanthrope*,[2] Jeanne d'Arc au Louvre. Au milieu de toutes ces pistes où le talent et le génie s'entrecroisent, histoire heureuse et fatalité, l'étranger hésite, s'arrête à ce

1. *licence:* (approx. =) master's degree.
2. *Misanthrope:* comedy by Molière.

coin de pont où Robespierre [3] s'arrêtait (il suffirait de ne pas
penser pour être Robespierre quand Robespierre ne pensait pas),
repart dans un taxi dont le chauffeur ne lui ouvre pas la porte,
vers un théâtre dont l'ouvreuse veut son pourboire, mais cela lui
est bien égal: dans aucune autre ville il n'a été ainsi reçu par les   5
grands monuments, les grands souvenirs et les grands hommes.

« Paris international. Pages inédites de Jean Giraudoux »
Formes et Couleurs, No. 6, 1944.
Reprinted by permission of M. Jean-Pierre Giraudoux

3. *Robespierre:* (1758-94) French revolutionist and organizer of the Reign of
Terror, who sent countless Frenchmen to the guillotine until his own
execution there in 1794.

JULES ROMAINS

1885-

Louis Farigoule (Jules Romains), the son of a Parisian school-teacher, was born in the village of Saint-Julien-Chapteuil, in the Cévennes mountain region of the south of France. Brought up from childhood in Paris, where he was a student at the Lycée Condorcet, he went on to prepare an *agrégation* in philosophy at the École normale supérieure. From 1909 until 1919, he was a *lycée* professor of philosophy. Between 1908 and 1911, Romains was associated with the Abbaye community of writers and artists, whose press issued his *Vie unanime* (1908), a collection of poems expressing his belief in *unanimisme*. Since that time, nearly all of his work has centered upon this doctrine, which views man collectively rather than as an individual. Romains believes that ultimately men as a group and the unifying forces of society count for much more than any single personality. A further demonstration of this philosophy was to be found in *Mort de quelqu'un* (1911), a novel in which the event — the death of a man — is the hero of the story. After successes as a playwright (*Knock ou le Triomphe de la médecine* (1923) is the best-known of his plays), Jules Romains turned to his principal work, *Les Hommes de bonne volonté* (1932-47). In the twenty-seven volumes of this panorama of French life and thought between 1908 and 1933, Romains adhered faithfully to the principle of *unanimisme*. Unlike Zola or Balzac, Romains was not interested in tracing the history of a family or following the events in the life of a single hero. Instead, he wished to convey a sense of the totality, the oneness, of a great city. Paris is thus the major character of these novels in which a series of apparently unrelated lives are subordinated to a spiritual unity. Since he paints so vast a canvas, Romains inevitably succeeds better in characterizing social structures than in portraying individuals. The strength of the book, however, is in the brilliance of the innumerable surfaces presented.

Romains's Montparnasse was one of the favorite haunts of the Lost Generation of young American expatriates of the 'twenties. Then, as now, life in Montparnasse was centered around three cafés: *Le Dôme, La Coupole* and *La Rotonde.* The cafés have been modernized and another generation of cosmopolitan painters, writers, and students now calls them its own, but Jules Romains's portrait of this quarter has lost none of its authenticity.

Montparnasse

Un morceau de boulevard, à première vue comme bien d'autres. Quelques centaines de mètres, à peine; sur une bonne largeur. Pas de pittoresque. Des maisons plutôt bourgeoises, d'un âge indécis et plutôt récent. Quelques immeubles à moitié cossus, dans le style des Ternes ou des Batignolles.[1] Des arbres, comme ailleurs. Un ciel de Paris, de l'avant-printemps. Tout un fond constitué par un Paris banal mais bien reconnaissable. Posée là-dessus la végétation étonnante de cette demi-douzaine de cafés. Chacun avec son public un peu distinct: ici et là les mêmes éléments se retrouvent, mais les dosages diffèrent; peut-être aussi la qualité individuelle des molécules.

1. *des Ternes ou des Batignolles:* The avenue des Ternes and the boulevard des Batignolles, both in the 17th arrondissement, are known for their imposing turn-of-the-century apartment houses.

Au total, un lieu du monde sans pareil. Un moment du monde sans pareil. Aucun port n'a jamais vu à la fois sur ses quais marins de tant de pays, n'a jamais vu flotter en haut des mâts tant d'oriflammes étranges. Qu'est-ce, à côté de cela, que le New-York de Greenwich Village ou de la 52e rue; que le Londres de Soho 5
et de Chelsea; que le Berlin de la Gedächtnisskirche et du Kurfürstendamm?

Ce qu'il y a de moins provincial au monde, et de moins en retard sur l'instant. Car l'instant se décroche ici. L'horloge du méridien 0 est ici. La principale occupation de beaucoup de ces 10
gens est de régler leur montre. Cette fille est une Scandinave. Ces deux autres sont des Américaines (l'Américaine se présente par paire, volontiers). L'homme bien vêtu est peut-être un journaliste anglais, comme Bartlett.[2] Cet autre, qui n'est pas très bien mis, et qui a l'air Russe, est peut-être Russe. Il fait peut-être du cour- 15
tage[3] de tableaux, en seconde ou troisième main. Il est peut-être agent subalterne des Soviets; peut-être Russe blanc réfugié, travaillant contre les Soviets; peut-être les deux. Il donne peut-être des leçons de français à des boursières d'art d'une université de l'Illinois. Mille particularités, projetées de plus ou moins loin par 20
le vaste monde, s'abattent ici, et du point d'impact cessent d'être particulières. . . .

Préfiguration? Ou bien miracle localisé, précaire. Ce que l'humanité a réussi à faire sur un plan et sur un point. En se réservant de rater son coup[4] presque partout ailleurs. Genève dans son 25
genre est moins authentique. Il n'y a pas dans une assemblée de la S.D.N.[5] cette délégation spontanée, ni ce détachement à l'égard du lieu de provenance, ni cet amour pour le lieu de rencontre, ni pourtant la ténacité singulière des arômes; ni le même degré de foi pour des valeurs encore incertaines; ni peut-être le même 30
sérieux. Montparnasse, avec tous ses prestiges et charlataneries,

2. *Bartlett:* a minor character in *Les Hommes de bonne volonté.*
3. *courtage:* brokerage.   4. *rater son coup:* to miss the mark.
5. *S.D.N.* = *Société des Nations:* the League of Nations (1920-46). Its headquarters were in Geneva.

croit peut-être en plus de choses que Genève. Il vit sa foi quoti-
diennement, sans subventions gouvernementales. Beaucoup dîne-
ront ce soir d'un croissant et d'un café-crème pour attester une
conception des volumes.

Les Hommes de bonne volonté, XXIV, 1944
Librairie Ernest Flammarion, tous droits réservés

PAUL VALÉRY

1871-1945

Paul Valéry, one of the greatest of modern French poets and essayists, was born and brought up in the small Mediterranean port city of Sète, where his father was a French customs official. The young Valéry attended both the *lycée* and the university in Montpellier before coming to Paris in 1892. In the capital, he came under the influence of the symbolist poet Mallarmé and published his first verse. In 1894 Valéry settled in a tiny, bare room in the rue Gay-Lussac in the heart of the Latin Quarter. His friends of this period included André Gide, Pierre Louÿs, and, later, Claude Debussy. After publishing two short prose works, Valéry abandoned literature for a period of nearly twenty years, working first in the War ministry, then as private secretary to a director of the Havas news agency. Suddenly, in 1917, with the publication of the long poem, *La Jeune Parque*, Valéry emerged as one of the foremost poets of his day. This position was further reinforced by the appearance of *Charmes* (1922), a volume of verse containing the famous poem, *Le Cimetière marin*. With this collection Valéry's poetic production ceased. Henceforth he was to devote himself chiefly to the essay, publishing the five volumes of *Variété* (1924-44), *Regards sur le monde actuel* (1931), etc. He was elected to the Académie Française in 1925. When he died in 1945 he was given a national funeral and buried, as he had wished, in the cemetery in Sète that he had immortalized in his verse.

Valéry possessed one of the most remarkably stimulating minds of the century. His essays, like Montaigne's, are springboards for further thought. Here, in this extract on the function of Paris, he poses the problem of the future role of Paris in a world of accelerated change. Will Paris lose its centuries-old position as catalyst for all that is best in the nation? His conclusion seems to be the disturbing one: « *Nous autres, civilisations, nous savons maintenant que nous sommes mortelles.* »

Fonction de Paris

Une très grande ville a besoin du reste du monde, s'alimente comme une flamme aux dépens d'un territoire et d'un peuple dont elle consume et change en *esprit,* en *paroles,* en *nouveautés,* en *actes* et en *œuvres* les trésors muets et les réserves profondes. Elle rend vif, ardent, brillant, bref et actif ce qui dormait, couvait, s'amassait, mûrissait ou se décomposait sans éclat dans l'étendue vague et semblable à elle-même d'une vaste contrée. Les terres habitées se forment ainsi des manières de *glandes,* organes qui élaborent [1] ce qu'il faut aux hommes de plus exquis, de plus violent, de plus vain, de plus abstrait, de plus excitant, de moins nécessaire à l'existence élémentaire; quoique indispensable à l'édification d'êtres supérieurs, puissants et complexes, et à l'exaltation de leurs valeurs.

Toute grande ville d'Europe ou d'Amérique est cosmopolite: ce qui peut se traduire ainsi: plus elle est vaste, plus elle est diverse, plus grand est le nombre des races qui y sont représentées, des langues qui s'y parlent, des dieux qui s'y trouvent adorés simultanément.

1. *élaborent:* prepare, digest.

Chacune de ces trop grandes et trop vivantes cités, créations de
l'inquiétude, de l'avidité, de la volonté combinées avec la figure
locale du sol et la situation géographique, se conserve et s'accroît
en attirant à soi ce qu'il y a de plus ambitieux, de plus remuant,
de plus libre d'esprit, de plus raffiné dans les goûts, de plus vani-   5
teux, de plus luxurieux et de plus lâche quant aux mœurs. On
vient aux grands centres pour avancer, pour triompher, pour
s'élever; pour jouir, pour s'y consumer; pour s'y fondre et s'y
métamorphoser; et en somme pour *jouer*, pour se trouver à la
portée du plus grand nombre possible de chances et de proies,   10
— femmes, places,[2] clartés,[3] relations,[4] facilités diverses; — pour
attendre ou provoquer l'événement favorable dans un milieu dense
et chargé d'occasions, de circonstances, et comme riche d'imprévu,
qui engendre à l'imagination toutes les promesses de l'incertain.
Chaque grande ville est une immense maison de jeux.   15

Mais dans chacune il est quelque jeu qui domine. L'une s'enor-
gueillit d'être le marché de tout le diamant de la terre; l'autre
tient le contrôle du coton. Telle porte le sceptre du café, ou des
fourrures, ou des soies; telle autre fixe le cours des frets, ou des
fauves,[5] ou des métaux. Toute une ville sent le cuir; l'autre, la   20
poudre parfumée.

Paris fait un peu de tout. Ce n'est point qu'il n'ait sa spécialité
et sa propriété particulière; mais elle est d'un ordre plus subtil,
et la fonction qui lui appartient à lui seul est plus difficile à définir
que celles des autres cités.   25

La parure des femmes et la variation de cette parure; la production des romans et des comédies; les arts divers qui tendent
au raffinement des plaisirs fondamentaux de l'espèce, tout ceci lui
est communément et facilement attribué.

Mais il faut y regarder plus attentivement et chercher un peu   30
plus à fond le caractère essentiel de cet illustre Paris.

Il est d'abord à mes yeux la ville la plus *complète* qui soit au
monde, car je n'en vois point où la diversité des occupations, des

2. *places:* situations, positions.   3. *clartés:* lights, ideas, notions.
4. *relations:* "connections."   5. *fauves:* wild beasts, jungle animals.

industries, des fonctions, des produits et des idées soit plus riche et mêlée qu'ici.

Être à soi seule la capitale politique, littéraire, scientifique, financière, commerciale, voluptuaire [6] et somptuaire [7] d'un grand pays; en représenter toute l'histoire; en absorber et en concentrer toute la substance pensante [8] aussi bien que tout le crédit et presque toutes les facultés et disponibilités d'argent, — et tout ceci, bon et mauvais pour la nation qu'elle couronne, c'est par quoi se distingue entre toutes les villes géantes, la Ville de Paris. Les conséquences, les immenses avantages, les inconvénients, les graves dangers de cette concentration sont aisés à imaginer.

Ce rapprochement si remarquable d'êtres diversement inquiets, d'intérêts tout différents entre eux qui s'entrecroisent, de recherches qui se poursuivent dans le même air, qui, s'ignorant, ne peuvent toutefois qu'elles ne se modifient l'une l'autre *par influence;* ces mélanges précoces de jeunes hommes dans leurs cafés, ces combinaisons fortuites et ces reconnaissances tardives d'hommes mûrs et parvenus dans les salons, le jeu beaucoup plus facile et accéléré qu'ailleurs des individus dans l'édifice social, suggèrent une image de Paris toute « psychologique. »

Paris fait songer à je ne sais quel grossissement d'un organe de l'esprit. Il y règne une mobilité toute mentale. Les généralisations, les dissociations, les reprises de conscience, l'oubli, y sont plus prompts et plus fréquents qu'en aucun lieu de la terre. Un homme par un seul mot s'y fait un nom ou se détruit en un instant. Les êtres ennuyeux n'y trouvent pas autant de faveur qu'on leur en accorde en d'autres villes de l'Europe; et ceci au détriment quelquefois des idées profondes. Le charlatanisme y existe, mais presque aussitôt reconnu et défini. Il n'est pas mauvais à Paris de déguiser ce que l'on a de solide et de péniblement acquis sous une légèreté et une grâce qui préservent les secrètes vertus de la pensée attentive et étudiée. Cette sorte de pudeur ou de prudence est si commune à Paris qu'elle lui donne au regard étranger l'ap-

6. *voluptuaire:* for pleasure.   7. *somptuaire:* for expenditure.
8. *substance pensante:* intellectual material.

parence d'une ville de pur luxe et de mœurs faciles. Le plaisir est
en évidence. On y vient expressément pour s'y délivrer, pour se
divertir. On y prend aisément bien des idées fausses sur la nation
la plus mystérieuse du monde, d'ailleurs la plus ouverte.

Encore quelques mots sur un grand sujet qu'il ne s'agit point   5
ici d'épuiser.

Ce Paris, dont le caractère résulte d'une très longue expérience,
d'une infinité de vicissitudes historiques; qui, dans un espace de
trois cents ans, a été deux ou trois fois la tête de l'Europe, deux
ou trois fois conquis par l'ennemi, le théâtre d'une demi-douzaine 10
de révolutions politiques, le créateur d'un nombre admirable de
renommées, le destructeur d'une quantité de niaiseries; et qui
appelle continuellement à soi la fleur et la lie de la race, s'est fait
la métropole de diverses libertés et la capitale de la sociabilité
humaine.   15

L'accroissement de la crédulité dans le monde, qui est dû à la
fatigue de l'idée nette, à l'accession de populations exotiques à la
vie civilisée, menance ce qui distinguait l'esprit de Paris. Nous
l'avons connu capitale de la *qualité*, et capitale de la *critique*.
Tout fait craindre pour ces couronnes que des siècles de délicates 20
expériences, d'éclaircissements et de choix avaient ouvrées.

Regards sur le monde actuel, 1931

LOUIS ARAGON

1897-

Louis Aragon, who was born in Paris in 1897, studied to become a doctor before embarking on a career as a surrealist poet. His first poems, *Feu de joie* (1920) and *Mouvement perpétuel* (1926), exhibited a remarkable verbal inventiveness, a skill displayed with equal brio in the novel *Le Paysan de Paris* (1926). In 1931, Aragon broke with surrealism when he became a member of the Communist party. *Les Cloches de Bâle* (1934) and *Les Beaux Quartiers* (1936), two of his best-known novels of social protest, judged pre-World War I French society from a Marxist stand-point. During World War II, while he was a member of the Resistance, Aragon composed *Le Crève-cœur* (1940) and *Les Yeux d'Elsa* (1942), patriotic and love poems having the natural lilting rhythm of a popular song. Circulated clandestinely in Occupied France, these poems voiced the sorrows and aspirations of an entire nation. Since the end of the war, Aragon has devoted himself to journalism, poetry, and the novel. *La Semaine sainte*, a historical reconstitution of Napoleon's Hundred Days, appeared in 1958. His most recent book is the autobiographical novel, *La Mise à mort* (1965).

For many Parisians, the phrase *les beaux quartiers* evokes an image of the 16th *arrondissement*, that wealthy residential quarter lying across the Seine from the Eiffel Tower and bounded roughly by the Arc de Triomphe, the Bois de Boulogne, and the Porte de

Saint-Cloud. Aragon extends this area to include the fashionable Champs-Élysées and Parc Monceau districts and even the elegant suburb of Neuilly. For Aragon, these are *les beaux quartiers,* a symbol of luxury and wealth, a concentration of privilege and power, a dreamlike world detached from harsh reality.

Les Beaux Quartiers

Sur l'autre rive débutent les beaux quartiers. Ouest paisible, coupé d'arbres, aux édifices bien peignés et clairs, dont les volets de fer laissent passer à leurs fentes supérieures la joie et la chaleur, la sécurité, la richesse. Oh! c'est ici que les tapis sont épais, et que de petites filles pieds nus courent dans de longues chemises de nuit parce qu'elles ne veulent pas dormir: la vie est si douce et il y aura du monde ce soir à en juger par le linge sorti, par le service de cristal sur une desserte.[1] Les beaux quartiers... D'où nous les abordons, comme des corsaires, ce long bateau de quiétude et de luxe dresse son bord hautain avec les jardins du Trocadéro[2] et ce qui reste encore de la mystérieuse Cité des Eaux où Cagliostro[3] régna aux jours de la monarchie: subite campagne enclose dans la ville avec les chemins déserts du parc morcelé, la descente aux coins noirs, où des amoureux balbutient. Puis c'est la ville aisée, aux rues sans âme, sans commerce, aux rues indistinguibles, blanches, pareilles, toujours recommencées. Cela remonte vers le nord, cela redescend vers le sud, cela coule le long du bois de Boulogne, cela se fend de quelques avenues, cela porte des squares comme des bouquets accrochés à une fourrure de haut

1. *une desserte:* a butler's tray.
2. *Trocadéro:* The Palais du Trocadéro and its gardens, built for the Exposition of 1878. The Palais de Chaillot (built for the 1937 fair) now occupies the same site.
3. *Cagliostro:* 18th-century charlatan who claimed to possess the secret of the fountain of youth.

prix. Cela gagne vers le cœur de la ville par le quartier Marbeuf
et les Champs-Élysées, cela se replie de la Madeleine sur le parc
Monceau vers Péreire [4] et ce train de ceinture [5] qui passe rarement
dans une large tranchée de la ville, cela enserre l'Étoile et se
prolonge par Neuilly,[6] plein d'hôtels particuliers, et dont la nostal-
gique chevelure d'avenues [7] vient trainer jusqu'aux quais retrou-
vés de la Seine, et aux confins de la métallurgie de Levallois-
Perret.[8] Les beaux quartiers... Ils sont comme une échappée au
mauvais rêve, dans la pince noire de l'industrie. De tous côtés ils
confinent à ces régions implacables du travail dont les fumées
déshonorent leurs perspectives, rabattues quand le vent s'y met
sur leurs demeures aux teintes fragiles. Ici sommeillent de grandes
ambitions, de hautes pensées, des mélancolies pleines de grâce.
Ces fenêtres plongent dans des rêveries très pures, des méditations
utopiques où plane la bonté. Que d'images idylliques dans ces
têtes privilégiées, dans les petits salons de panne rose,[9] où les
livres décorent la vie, devant les coiffeuses [10] éclairées de flacons,
de brosses et de petits objets de métal, sur les prie-Dieu des
chambres, dans les grands lits pleins de rumeurs, parmi la fraîcheur des oreillers! Dans ces parages de l'aisance, on voudrait
tant que tout fût pour le mieux dans le meilleur des mondes. On
rêve d'oublier, on rêve d'aimer, on rêve de vivre, on rêve de dis-
pensaires et d'œuvres où sourit l'ange de la charité. L'existence est
un opéra dans la manière ancienne, avec ses ouvertures, ses en-
sembles, ses grands airs, et l'ivresse des violons. Les beaux quartiers!

Les Beaux Quartiers, 1936
Les Éditions Denoël, tous droits réservés

4. *Péreire = place Péreire:* a square in the 17th *arrondissement* in northwest
Paris.   5. *train de ceinture:* the belt-line train.
6. *Neuilly:* an elegant suburb to the west of Paris, near the Bois de Boulogne.
7. *chevelure d'avenues:* avenues like strands of hair.
8. *Levallois-Perret:* industrial center northwest of Paris.
9. *panne rose:* rose-colored plush.   10. *les coiffeuses:* dressing tables.

CHARLES DE GAULLE

1890-

Charles de Gaulle was born in Lille of a middle-class family with an intellectual and Catholic background. Upon graduating from Saint-Cyr, the French military academy, he entered the 33rd infantry regiment, commanded by Pétain. He was wounded in action three times during the First World War and was captured at Verdun. After the war, he was a professor of military history at Saint-Cyr, attended the École supérieure de guerre, and was appointed aide-de-camp to General Pétain, the commander in chief of the French army.

In 1934, de Gaulle published *Vers l'armée de métier,* an accurate prediction of what a modern mechanized force could do. When World War II broke out, de Gaulle, in command of a tank division, achieved one of the only counter-offensive successes scored by the French army. But when France fell in June 1940, de Gaulle was still an obscure figure: he had been a brigadier general — the youngest in the French army — for less than a month.

Refusing to accept the French government's surrender, de Gaulle went to London to carry on the fight. On June 18, 1940, twenty-four hours after his arrival on English soil, he launched his famous radio appeal over the B.B.C., urging Frenchmen to resist. On June 28 the British officially recognized de Gaulle as "the leader of all Free Frenchmen, wherever they might be." De Gaulle's name soon became legendary. Thousands of Frenchmen

joined his forces; thousands more risked imprisonment and torture by joining the underground; by 1944, millions had come to
regard him as the symbol of French liberation.

Arriving in Paris on August 25, 1944, General de Gaulle pro-
posed to make on foot the classic journey from the Tomb of the
Unknown Soldier beneath the Arc de Triomphe to the altar of
Notre-Dame, where he would give thanks for victory. The welcome
Parisians gave him the next day as he walked down the Champs-
Élysées under a rain of flowers and waves of cheering seemed to
prove beyond a doubt that they accepted him as their natural
leader. Less than two years later, however, he was out of power,
living in retirement at his country estate in Colombey-les-Deux-
Églises, where he composed the three volumes of his *Mémoires de
guerre*. In June 1958, a France on the verge of civil war recalled
him to Paris. In December of that year he was elected President
of the French Republic. From that moment, the destinies of France
and Charles de Gaulle once more became inseparable.

It is evident from his writing that de Gaulle sees himself as a
symbol of France. Frequently referring to himself in the third
person, he seems to be saying that he is both observer and partici-
pant in one of the great dramas of our time, the transformation
of a defeated and despairing nation into a great power.

De Gaulle's celebrated lapidary prose style may be seen to its
best advantage in his *Mémoires de guerre*, from which the following selection is taken.

L'Axe le plus illustre du monde

A 3 heures de l'aprés-midi, j'arrive à l'Arc de triomphe. Parodi
et Le Troquer, membres du gouvernement, Bidault et le Conseil
national de la Résistance, Tollet et le Comité parisien de la libération, des officiers généraux: Juin, Kœnig, Leclerc, d'Argenlieu,
Valin, Bloch-Dassault, les préfets: Flouret et Luizet, le délégué

militaire Chaban-Delmas, beaucoup de chefs et de combattants des
forces de l'intérieur, se tiennent auprès du tombeau. Je salue le
Régiment du Tchad,[1] rangé en bataille devant l'Arc et dont les
officiers et les soldats, debout sur leurs voitures, me regardent
passer devant eux, à l'Étoile, comme un rêve qui se réalise. Je   5
ranime la flamme.[2] Depuis le 14 juin 1940, nul n'avait pu le faire
qu'en présence de l'envahisseur. Puis, je quitte la voûte et le terre-
plein. Les assistants s'écartent. Devant moi, les Champs-Élysées!

Ah! C'est la mer! Une foule immense est massée de part et
d'autre de la chaussée. Peut-être deux millions d'âmes. Les toits   10
aussi sont noirs de monde. A toutes les fenêtres s'entassent des
groupes compacts, pêle-mêle avec des drapeaux. Des grappes humaines sont accrochées à des échelles, des mâts, des réverbères.
Si loin que porte ma vue, ce n'est qu'une houle vivante, dans le
soleil, sous le tricolore.   15

Je vais à pied. Ce n'est pas le jour de passer une revue où
brillent les armes et sonnent les fanfares. Il s'agit, aujourd'hui,
de rendre à lui-même, par le spectacle de sa joie et l'évidence de
sa liberté, un peuple qui fut, hier, écrasé par la défaite et dispersé
par la servitude. Puisque chacun de ceux qui sont là a, dans son   20
cœur, choisi Charles de Gaulle comme recours de sa peine et sym-
bole de son espérance, il s'agit qu'il le voie, familier et fraternel,
et qu'à cette vue resplendisse l'unité nationale. Il est vrai que des
états-majors se demandent si l'irruption d'engins blindés ennemis
ou le passage d'une escadrille jetant des bombes ou mitraillant le   25
sol ne vont pas décimer cette masse et y déchaîner la panique.
Mais moi, ce soir, je crois à la fortune de la France. Il est vrai
que le service d'ordre [3] craint de ne pouvoir contenir la poussée
de la multitude. Mais je pense, au contraire, que celle-ci se disci-
plinera. Il est vrai qu'au cortège des compagnons qui ont qualité 30

1. *le Régiment du Tchad:* the heroic little force which had fought and
marched across the Sahara desert from Chad in Equatorial Africa to Tunisia
on the Mediterranean coast.
2. *la flamme:* After World War I, France's unknown soldier was buried
beneath the Arc de Triomphe. A torch, called *la flamme du souvenir*, burns
continuously at this spot.   3. *service d'ordre:* police force on duty.

La Libération de Paris, Le Cortège du Général de Gaulle

pour me suivre se joignent, indûment, des figurants de supplément. Mais ce n'est pas eux qu'on regarde. Il est vrai, enfin, que moi-même n'ai pas le physique, ni le goût, des attitudes et des gestes qui peuvent flatter l'assistance. Mais je suis sûr qu'elle ne les attend pas.   5

Je vais donc, ému et tranquille, au milieu de l'exultation indicible de la foule, sous la tempête des voix qui font retentir mon nom, tâchant, à mesure, de poser mes regards sur chaque flot de cette marée afin que la vue de tous ait pu entrer dans mes yeux, élevant et abaissant les bras pour répondre aux acclamations. Il se   10 passe, en ce moment, un de ces miracles de la conscience nationale, un de ces gestes de la France, qui parfois, au long des siècles, viennent illuminer notre Histoire. Dans cette communauté, qui n'est qu'une seule pensée, un seul élan, un seul cri, les différences s'effacent, les individus disparaissent. Innombrables Français dont je   15 m'approche tour à tour, à l'Étoile, au Rond-Point,[4] à la Concorde,[5] devant l'Hôtel de Ville, sur le parvis de la Cathédrale, si vous saviez comme vous êtes pareils! Vous, les enfants, si pâles! qui trépigniez et criez de joie; vous, les femmes, portant tant de chagrins, qui me jetez vivats et sourires; vous, les hommes, inondés d'une   20 fierté longtemps oubliée, qui me criez votre merci; vous, les vieilles gens, qui me faites l'honneur de vos larmes, ah! comme vous vous ressemblez! Et moi, au centre de ce déchaînement, je me sens remplir une fonction qui dépasse de très haut ma personne, servir d'instrument au destin.   25

Mais il n'y a pas de joie sans mélange, même à qui suit la voie triomphale. Aux heureuses pensées qui se pressent dans mon esprit beaucoup de soucis sont mêlés. Je sais bien que la France tout entière ne veut plus que sa libération. La même ardeur à revivre qui éclatait, hier, à Rennes et à Marseille et, aujourd'hui, trans-   30 porte Paris se révélera demain à Lyon, Rouen, Lille, Dijon, Strasbourg, Bordeaux. Il n'est que de voir et d'entendre pour être sûr que

---

4. *Rond-Point = le Rond-Point des Champs-Élysées:* a ring where six avenues meet.   5. *la Concorde = la place de la Concorde.*

le pays veut se remettre debout. Mais la guerre continue. Il reste
à la gagner. De quel prix, au total, faudra-t-il payer le résultat?
Quelles ruines s'ajouteront à nos ruines? Quelles pertes nouvelles
décimeront nos soldats? Quelles peines morales et physiques au-
ront à subir encore les Français prisonniers de guerre? Combien   5
reviendront parmi nos déportés, les plus militants, les plus souf-
frants, les plus méritants de nous tous? Finalement, dans quel état
se retrouvera notre peuple et au milieu de quel univers?

   Il est vrai que s'élèvent autour de moi d'extraordinaires témoi-
gnages d'unité. On peut donc croire que la nation surmontera ses   10
divisions jusqu'à la fin du conflit; que les Français, s'étant reconnus, voudront rester rassemblés afin de refaire leur puissance;
qu'ayant choisi leur but et trouvé leur guide, ils se donneront des
institutions qui leur permettent d'être conduits. Mais je ne puis,
non plus, ignorer l'obstiné dessein des communistes, ni la rancune   15
de tant de notables qui ne me pardonnent pas leur erreur, ni le
prurit [6] d'agitation qui, de nouveau, travaille les partis. Tout en
marchant à la tête du cortège, je sens qu'en ce moment même des
ambitions me font escorte en même temps que des dévouements.
Sous les flots de la confiance du peuple, les récifs de la politique   20
ne laissent pas d'affleurer.

   A chaque pas que je fais sur l'axe le plus illustre du monde,
il me semble que les gloires du passé s'associent à celle d'aujourd'hui. Sous l'Arc, en notre honneur, la flamme s'élève allègre-
ment. Cette avenue, que l'armée triomphante suivit il y a vingt-cinq   25
ans, s'ouvre radieuse devant nous. Sur son piédestal, Clemenceau,[7]
que je salue en passant, a l'air de s'élancer pour venir à nos côtés.
Les marronniers des Champs-Élysées, dont rêvait l'Aiglon [8] prisonnier et qui virent, pendant tant de lustres, se déployer les grâces
et les prestiges français, s'offrent en estrades joyeuses à des milliers   30

6. *le prurit:* pruritus, itching.
7. *Clemenceau:* A statue of this famous French statesman (1841-1929) stands
just off the Champs-Élysées, on the Place Clemenceau.
8. *l'Aiglon:* Napoleon's son, the Duc de Reichstadt, was kept in semi-captivity
at the castle of Schönbrunn, near Vienna.

de spectateurs. Les Tuileries,[9] qui encadrèrent la majesté de l'État sous deux empereurs et sous deux royautés, la Concorde et le Carrousel [10] qui assistèrent aux déchaînements de l'enthousiasme révolutionnaire et aux revues des régiments vainqueurs; les rues et les ponts aux noms de batailles gagnées; sur l'autre rive de la 5
Seine, les Invalides,[11] dôme étincelant encore de la splendeur du Roi-Soleil, tombeau de Turenne,[12] de Napoléon, de Foch; [13] l'Institut, qu'honorèrent tant d'illustres esprits, sont les témoins bienveillants du fleuve humain qui coule auprès d'eux. Voici, qu'à leur tour: le Louvre, où la continuité des rois réussit à bâtir la France; 10
sur leur socle, les statues de Jeanne d'Arc et de Henri IV; [14] le palais de Saint-Louis dont, justement, c'était hier la fête; Notre-Dame, prière de Paris, et la Cité, son berceau, participent à l'événement. L'Histoire, ramassée dans ces pierres et dans ces places, on dirait qu'elle nous sourit. 15

Mais, aussi, qu'elle nous avertit. Cette même Cité fut Lutèce, subjuguée par les légions de César, puis Paris, que seule la prière de Geneviève [15] put sauver du feu et du fer d'Attila. Saint-Louis,[16] croisé délaissé, mourut aux sables de l'Afrique. A la porte Saint-

9. *Tuileries:* former royal residence constructed on the site of an old tile factory (whence the name) in the 16th century. Louis XIV preferred Versailles but many French kings, Napoleon I, the restored Bourbons, and Napoleon III, lived here. It was destroyed by the insurrectionists of the *Commune* in 1871. The Jardin des Tuileries now covers the site.
10. *le Carrousel = l'Arc de Triomphe du Carrousel:* a triumphal arch commemorating Napoleon's military achievements of 1805. It forms part of the axis Arc de Triomphe—Champs-Élysées—Place de la Concorde—Arc de Triomphe du Carrousel.
11. *les Invalides:* the army pensioners' hospital founded by Louis XIV in 1670. Napoleon's tomb is in a crypt under its golden dome.
12. *Turenne:* celebrated commander of the armies of Louis XIV.
13. *Foch:* French general, commander in chief of the Allied armies in 1918.
14. *les statues de Jeanne d'Arc et de Henri IV:* The equestrian statues of Jeanne d'Arc and Henri IV stand at the juncture of the rue de Rivoli and the Place des Pyramides and on the Pont-Neuf respectively.
15. *Geneviève:* Sainte Geneviève (patron saint of Paris). In 451, when Attila and the Huns were menacing Paris, she assured the Parisians that their city would be spared.
16. *Saint-Louis:* Louis IX (1215-70), whose crusading zeal was not shared by his associates, died on the eighth crusade (to Tunis).

Honoré,[17] Jeanne d'Arc fut repoussée par la Ville qu'elle venait
rendre à la France. Tout près d'ici, Henri IV tomba victime d'une
haine fanatique.[18] La révolte des Barricades,[19] le massacre de la
Saint-Barthélemy,[20] les attentats de la Fronde,[21] le torrent furieux
du 10 août,[22] ensanglantèrent les murailles du Louvre. A la Con-   5
corde, roulèrent sur le sol la tête du roi et celle de la reine de
France. Les Tuileries virent le naufrage de la vieille monarchie,
le départ pour l'exil de Charles X et de Louis-Philippe,[23] le désespoir de l'Impératrice,[24] pour être finalement mis en cendres, comme
l'ancien Hôtel de Ville.[25] De quelle désastreuse confusion le Palais-   10
Bourbon [26] fut-il fréquemment le théâtre! Quatre fois,[27] en l'espace de deux vies, les Champs-Élysées durent subir l'outrage des
envahisseurs défilant derrière d'odieuses fanfares. Paris, ce soir,
s'il resplendit des grandeurs de la France, tire les leçons des mauvais jours.   15

Mémoires de guerre, II: *L'Unité 1942-1944,* 1956
Librairie Plon, tous droits réservés

17. *la Porte Saint-Honoré:* In 1429 Jeanne d'Arc, leading the forces of
Charles VII, was wounded by the English defenders of Paris outside this gate
to the city.
18. *haine fanatique:* Henri IV was assassinated by Ravaillac in the rue de la
Ferronnerie, near the Halles, in 1610.
19. *La révolte des Barricades:* On May 12, 1588, a revolutionary Paris
populace forced Henri III to flee from the city.
20. *la Saint-Barthélemy:* the massacre of Huguenots carried out on the festival
of St. Bartholomew, August 24, 1572.
21. *la Fronde:* the rebellion of the nobles against the monarchy (1648-53),
during the minority of Louis XIV.
22. *10 août:* On August 10, 1792, the people of Paris attacked and took the
royal palace of the Tuileries.
23. *l'exil de Charles X et de Louis-Philippe:* Charles X was forced into exile
by the July Revolution of 1830. Louis-Philippe abdicated after the February
Revolution (1848), taking refuge in England.
24. *l'Impératrice:* The Empress Eugénie, wife of Napoléon III, was forced to
flee Paris on September 4, 1871, following the capture of the Emperor at
Sedan, scene of a crushing military disaster of the Franco-Prussian War.
25. *Hôtel de Ville:* both the Palais des Tuileries and the Hôtel de Ville were
burnt down by the *Communards* in 1871.
26. *le Palais-Bourbon:* seat of the Assemblée Nationale.
27. *Quatre fois:* In 1814, 1815, 1871, and 1940.

JACQUES AUDIBERTI

1899-1965

Jacques Audiberti is primarily a poet, though he was no doubt more widely known as the author of some of the most popular successes of the contemporary French stage.

Born and brought up in Antibes, on the Côte d'Azur, where his father was a stonemason, Audiberti came to Paris as a young man and supported himself as a journalist while composing nonconformist poetry in the surrealist tradition. His first volume of verse, *L'Empire et la trappe,* was published at his own expense in 1930. Other more successful collections of poems included *Race des hommes* (1937), *Des tonnes de semence* (1941), and *Toujours* (1944). As a novelist, Audiberti came to be known for such explosive *romans poétiques* as *Abraxas* (1938), *Carnage* (1942), and *Monorail* (1964). His five volumes of *Théâtre* (1948-62) ranged from the early *Quoat-Quoat* and *Le Mal court* to the popular *Pomme, Pomme, Pomme.* More recently, he turned to writing movie scenarios and had a play, *La Fourmi dans le corps*, produced at the Comédie-Française in 1962. He died in Paris on July 10, 1965.

Like other avant-garde writers, Audiberti holds to no rules. His highly original theatre can best be described as an "accepted delirium." His poetry frequently resembles verbal intoxication. Yet Audiberti's world is a world of tormented creatures yearning only for a return to the simplicity of life in nature. Man, separated

137

from nature, has been forced to live in a delirious world where
the strangest metamorphoses are commonplace. For the provincial
transplanted into the nightmare of postwar Paris traffic, these de-
lusions can assume frightening proportions. The prose poem which
is included here reveals something of the tribulations of this latter-
day Kafka, pursued by ever-increasing hordes of automobiles.

Paris fut

Paris les tours, la tour Eiffel, la tour Saint-Jacques,[1] les huîtres
à Noël et les fraises pour Pâques, je t'aime. Mais dit-on elle, ou
dit-on il, dès lors qu'on parle de Paris? Distinguo subtil![2] Paris,
moi, je lui dis tu. Ça suffit pour être compris. Je t'aime, Paris.

C'est toi les Invalides.[3] C'est toi le Panthéon.[4] Toi Victor Hugo.   5
Toi Napoléon. Toi l'arc de l'Étoile et le chou des Halles. Mont-
martre.[5] Montrouge.[6] Louvre. Châtelet.[7] Mon pavé. Mon palais.
Je rêve. Je vais. Je m'emballe![8]

D'autres mieux que moi t'ont chanté. Qu'importe! Comme je
peux, je dis que je t'aime, Paris. Mais ma joie est morte.   10

Les autos sont trop. De toutes parts je reçois leurs coups de
corne, leurs longues trompes. De la Chapelle[9] à l'octroi[10] d'Ar-

1. *la tour Saint-Jacques :* The bell-tower of the gothic church Saint-Jacques-
la-Boucherie which was destroyed during the Revolution.
2. *Distinguo subtil! :* subtle distinction (from Latin: *distinguo*).
3. *les Invalides = hôtel des Invalides.* The army pensioners' hospital, founded
by Louis XIV in 1670.
4. *le Panthéon :* the Pantheon, built by the architect Soufflot from 1754 to
1780. In its crypt lie many of the famous dead of France.
5. *Montmartre :* picturesque quarter in the north of Paris, built on the hill
where Saint Denis suffered martyrdom.
6. *Montrouge :* working-class suburb to the south of Paris.
7. *Châtelet = Théâtre du Châtelet :* a theatre, located on the Place du
Châtelet and known for its spectacular plays.
8. *Je m'emballe! :* (fam.) I am being carried away!
9. *la Chapelle :* a district in the north of Paris.   10. *octroi :* toll-house.

cueil,[11] entre Auteuil [12] et Vincennes,[13] par la place Balard,[14] je
cherche. Je cherche, je cherche, je cherche Paris. Paris pour moi
comme autrefois. Paris pour l'esprit, pour les pieds, pour l'œil.
Mais les autos courent sur moi.

Je cueille, entre les roues, des morceaux de pavé. Je prends des   5
rendez-vous furtifs avec les marbres de Saint-Sulpice,[15] pauvre
noix! [16]

Je me glisse de flanc.[17] Je saute d'arbre en arbre. Les autos,
vaches, vaches noires, courent sur moi. Que fais-tu, que fais-tu,
mon amour? Elles sont six cents de plus chaque jour. Je tremble.   10
Je me cache derrière Saint-Eustache.[18] Dit-on elle? Dit-on il? Ça
m'est égal! Pas le moment.[19] Cadillac à bâbord! Quatre chevaux.[20]
Lincoln, C. D.,[21] moteurs, klaxons, le cœur...

Il ne me reste plus qu'à tirer les rideaux, me mettre la ceinture,[22] fréquenter les talus des gares de ceinture,[23] le canal de   15
Pantin,[24] Clignancourt, le matin, quand les puces ne marchent
pas.[25] Mais les quais, les quais de la Seine, pourquoi pas? Non!
Elles y sont, les vaches noires. ... Partout Renault. Partout Salmson.[26] Fin de l'amour. Traqué, je cours.

Jardin des Plantes.[27] Le cabanon du sanglier. Je force le trou.   20
Je m'affale. Il me dit: « Frère, qu'avez-vous? »

11. *Arcueil:* a district in the south of Paris.
12. *Auteuil:* western district of Paris.
13. *Vincennes:* eastern district of Paris.
14. *place Balard:* a square in southwestern Paris.
15. *Saint-Sulpice:* left-bank church.   16. *pauvre noix!:* poor thing!
17. *Je me glisse de flanc:* I move to one side.
18. *Saint-Eustache:* Gothic church located near the Halles.
19. *Pas le moment = Ce n'est pas le moment (d'en discuter).*
20. *Quatre chevaux = Renault 4CV*, a French car of 4 horsepower (French
measure).
21. *C. D. = Corps Diplomatique* (an abbreviation seen on automobile plates).
22. *me mettre la ceinture:* (slang) to do without.
23. *gares de ceinture:* stations of belt-line railway (around Paris).
24. *Pantin:* industrial area north of Paris.
25. *Clignancourt ... ne marchent pas:* Clignancourt, mornings, when the
flea-market is closed. (Clignancourt is the site of the *marché aux puces*.)
26. *Salmson:* a make of automobile.
27. *Jardin des Plantes:* botanical garden and zoo.

— Les autos . . . Les autos . . . Partout. Là-dessus, freins, avertis-
seurs. Il se trouvait que l'ambulance venait prendre le sanglier
qu'attendait le vétérinaire.

Désormais, c'est moi qui suis là. Je suis un homme, certes, mais
celui qui ne supporte pas le bruit d'un million d'autos qui rentrent   5
sous les portes, qui font la mer et la montagne sur les tympans [28]
et sur les bras des anciens hommes.

Les enfants m'apportent des pommes. Dit-on elle ou dit-on il,
quand on parle de Paris?

Paris fut.   10

"Paris fut," *La Nouvelle Nouvelle Revue Française*,
I (June 1953), 1137-8. © Éditions Gallimard

28. *tympans:* ear-drums.

JEAN FAYARD

1902-

Jean Fayard, the son of a well-known Parisian publisher, was born in Paris on January 24, 1902. After studying at the Lycée Janson-de-Sailly in Paris, Fayard went on to do graduate work at Oxford. His first novel, *Oxford et Margaret* (1924), won immediate critical acclaim. It was followed by *Deux ans à Oxford?*, another book based on his experiences in England. In the years that followed, Fayard became known as an author of short stories which appeared in such Parisian reviews as *Candide* and the *Revue des Deux Mondes*. When his novel *Mal d'amour* was awarded the Prix Goncourt in 1931, the twenty-nine-year-old Fayard had already earned an enviable reputation as a writer in the tradition of Stendhal and Baudelaire. A book on the cinema and a study of Aldous Huxley appeared the next year, followed by a comedy, *Une Fenêtre ouverte*, in 1934, and another novel, *La Chasse aux rêves*, in 1935. When war broke out in 1939, Fayard was posted as liaison officer with the British Expeditionary Forces in France. From 1940 to 1944 he was active in the Resistance. Since the war, he has translated Somerset Maugham and has published another novel, *Roman* (1946). He is a regular contributor to the leading French daily, *Le Figaro*, where this account of the tribulations and irritations of the « *Monsieur en voiture* » originally appeared.

Le Soliloque du monsieur en voiture

Naturellement, le feu vert est rouge. On ne fait ça qu'à moi. Je suis le plus déveinard [1] des hommes. On a dû oublier d'inviter la fée des feux [2] à mon baptême. Il y a des gens qui trouvent des feux verts, au moins cinquante pour cent du temps. Moi, non. Jamais. Il suffit que j'arrive pour que ce soit rouge. C'est comme si je déclenchais le système, comme si j'étais une cellule photo-électrique. Et il reste fermé plus longtemps pour moi que pour tous les autres. Ah! Enfin, il est vert!

Mais que fait ce bonhomme devant moi? Il ne démarre [3] pas. Il rêve. Il faut toujours que je sois derrière le plus bête, le savant. Avance, Nimbus! Ah! le professeur se décide, mais avec quelles précautions! Je voudrais voir ce malheureux dans un spoutnik, à dix-sept kilomètres à la seconde. Quand on est incapable de piloter autre chose qu'un ascenseur à colonne,[4] on reste chez soi au coin du feu, on relit « Le Discours de la méthode » ! [5] En tout cas, on tient sa droite. Oui, professeur, je vous double et je vous serre un peu pour vous apprendre les usages. En même temps, je vous jette un regard, non pas courroucé, mais réparateur. L'idée ne vous est même pas venue que je pourrais avoir un train à prendre.

Mais quel est ce fou qui me double à une allure insensée? Un candidat au suicide? Un habitué de la roulette russe? Un *desperado* espagnol? On regrette quelquefois de n'avoir pas deux mitraillettes bien centrées à la place des phares pour abattre tous les aliénés qui prennent le boulevard des Batignolles [6] pour le circuit du Mans.[7]

Ah! voici une dame qui se range! [8] Elle rate [9] l'opération. Elle

---

1. *déveinard:* (fam.) unlucky.
2. *la fée des feux:* the fairy godmother of traffic lights.
3. *démarre:* start off.   4. *un ascenseur à colonne:* a hydraulic elevator.
5. *« Le Discours de la méthode »:* Descartes's principal philosophical work (1637).   6. *le boulevard des Batignolles:* a wide avenue in northwest Paris.
7. *le circuit du Mans:* the Le Mans speedway (known for its 24-hour sports car race).   8. *qui se range:* who is parking.
9. *rate:* (fam.) muffs.

immobilise deux files. Elle recommence. Prenez tout votre temps,
madame. Nous ne sommes pas pressés, nous! Recommencez encore
une fois. La quatrième sera peut-être la bonne. Si on donnait moins
d'armes à feu aux enfants et moins de voitures aux femmes du
monde, la terre serait plus habitable.   5

Mais ce n'est pas fini. Un camion d'apéritifs s'est confortable-
ment arrêté au milieu de la chaussée, en troisième position.[10]
Aucun agent n'est en vue et, d'ailleurs, aucun agent ne s'aviserait
jamais de dire un mot à un camion d'apéritifs. C'est sacré à Paris
comme les vaches à Calcutta, comme les vestales à Rome. On   10
devrait leur donner une sirène et la priorité ainsi qu'aux ambu-
lances. On saurait à quoi s'en tenir.

Bien entendu, l'inévitable « auto-école » navigue devant moi.
Là, au moins, on est prévenu par un écriteau. Ce n'est pas du luxe!
L'élève, qui a une grande barbe blanche, vient de caler[11] au milieu   15
du carrefour. Personne n'ose lui lancer un regard. On sent qu'il
est au bord des larmes.

Heureusement, je ne suis pas vraiment pressé. Je vais à un
cocktail. Le carton d'invitation porte « de 6 à 8 » et il n'est que
huit heures moins le quart. Il n'y aura personne, comme d'habi-   20
tude, avant huit heures. Mais j'ai horreur de me traîner. A quoi
bon avoir une voiture?

Oh! Mais voici quelqu'un de pressé! Une petite dame, dans
une petite voiture, qui zigzague, qui slalome, qui me fait une
queue de poisson![12] Je n'aime pas ça. Vous allez voir de quel   25
bois je me chauffe,[13] ma petite dame! Ce n'est pas que je sois
méchant, mais je n'aime pas les mauvaises façons et je vous coincerai[14] comme un rien contre le trottoir. Un coup d'accélérateur,
je la rejoins. Non. Maudit piéton! On devrait interdire aux piétons de circuler après six heures du matin. Je repars, un coup   30

---

10. *en troisième position:* triple-parked.   11. *caler:* to stall (his motor).
12. *qui me fait ... poisson:* who cuts me off.
13. *de quel bois je me chauffe:* what stuff I am made of.
14. *coincerai:* wedge in.

La Circulation à Paris

d'avertisseur. C'est défendu,[15] mais, justement, l'avertissement n'en
porte que davantage.

Je ne vais donc jamais pouvoir rattraper cette maudite petite
bonne femme! J'approche du lieu de mon cocktail et je ne vais
tout de même pas la poursuivre jusqu'à Versailles! Il faut aussi   5
que je pense à trouver une place. Bravo! J'en vois une! Non. Cette
horrible mégère [16] me la prend. Cette fois, je l'insulte.

— Oh! pardon, chère madame. Je ne vous avais pas reconnue.
Vous avez trouvé une place? Mes compliments! Quand on est
aussi jolie que vous, on mérite d'avoir de la chance. Oh! ne vous   10
inquiétez pas pour moi. Je vais chercher un peu plus loin. A tout
à l'heure, en haut!

Et je cherche, je cherche. Je tourne. Mes pensées tournent aussi.
Comme il est difficile d'être à la fois automobiliste et bien élevé!
Mon auto me gêne beaucoup, en ce moment. Plutôt moins que ma   15
bonne éducation.

Le Figaro, Oct. 31–Nov. 1, 1959
© M. Jean Fayard, tous droits réservés

15. *C'est défendu:* The sounding of automobile horns has been forbidden in
Paris in recent years.   16. *mégère:* shrew.

QUESTIONS

Aimer Paris

1. Depuis quand Montaigne aime-t-il Paris?
2. Quels sont sur Montaigne les effets de ses contacts avec d'autres villes?
3. Que pense Montaigne des défauts de Paris?
4. Quel est l'effet de Paris sur son patriotisme?
5. En quoi consiste la grandeur de Paris?
6. Qu'est-ce que Montaigne craint surtout pour Paris?

Quand te verrai-je renversée?

1. Pourquoi le Paris de Bossuet mérite-il la condamnation de l'auteur?
2. En quel sens l'auteur emploie-t-il l'adverbe « utilement » ?
3. Comment reconnait-on ici le style d'un prédicateur?
4. Est-ce que vous pourriez faire le portrait moral de l'auteur d'après ce passage?

Promenades en ville

1. Pourquoi se donne-t-on « rendez-vous public » tous les soirs au Cours ou aux Tuileries?
2. D'après La Bruyère, qu'y a-t-il d'ironique dans ces rendez-vous?

3. De quelle classe sociale La Bruyère parle-t-il?
4. Décrivez les gestes de ces promeneurs parisiens.

Un Persan à Paris

First letter:

1. Depuis combien de temps le narrateur est-il à Paris?
2. Quelles sont les observations qu'il fait sur les maisons de la capitale?
3. Pourquoi le visiteur n'a-t-il encore vu marcher personne à Paris?
4. Comment le Persan lui-même circule-t-il à Paris?
5. Que lui font les Parisiens?
6. Pourquoi l'auteur trouve-t-il difficile de parler des mœurs et des coutumes européennes à ce moment?

Second letter:

7. Quel défaut le Persan a-t-il remarqué chez les habitants de Paris?
8. Que faisaient les Parisiens quand le Persan marchait dans les rues de la capitale?
9. Qu'est-ce que le Persan a remarqué aux spectacles?
10. Qu'a-t-il décidé enfin de faire?
11. Quel a été l'effet de ce changement d'habits sur les habitants de Paris?
12. Pourquoi a-t-il eu sujet de se plaindre de son tailleur?
13. Qu'est-ce qui s'est passé pourtant quand on a entendu dire qu'il était Persan?

Déception de Paris

1. Qu'est-ce que Rousseau avait imaginé trouver à Paris?
2. Qu'est-ce qui l'a déçu en entrant à Paris?
3. Quelle morale tire-t-il de cette déception?
4. Comment Rousseau est-il encore une fois déçu dans ses contacts avec des Parisiens?
5. Quels traits de caractère Rousseau relève-t-il chez les Français?

Débuts parisiens

1. Pourquoi le jeune De Billi a-t-il quitté la maison de son père?
2. Comment a-t-il fait le voyage d'Auxerre à Paris?
3. Qu'est-ce qu'une « gargote » ?
4. Décrivez ce premier repas parisien.
5. Quelle sorte de gens De Billi a-t-il vu autour de lui dans la gargote?
6. Décrivez leur façon de manger.
7. Quel était le prix de ce repas copieux?
8. Où De Billi a-t-il trouvé un logement?
9. Décrivez les meubles de sa chambre.
10. D'après l'auteur, pourquoi est-on si honnêtement servi à Paris?

Le Devant des portes

1. L'usage dont parle l'auteur, quand a-t-il lieu d'habitude?
2. Pourquoi les rues de Paris ressemblent-elles à l'Opéra?
3. Que voit-on sur cette immense scène de la ville?

Le Décolleur d'affiches

1. Décrivez la façon dont le décolleur d'affiches gagne sa vie.
2. Depuis combien de temps vit-il de ce travail bizarre?
3. Qui achète ses affiches décollées?
4. Est-ce qu'il mène une vie sans souci?
5. Montrez que le décolleur d'affiches est un travailleur honnête et consciencieux.

Cris de Paris

1. Qu'est-ce qui caractérise la voix des crieurs de Paris?
2. Pourquoi l'étranger ne peut-il pas comprendre ce que disent ces crieurs?
3. Par quel moyen le Parisien arrive-t-il à les comprendre?
4. En quoi l'oreille des servantes l'emporte-t-elle sur celle des Académiciens?

Le Pont-Neuf

1. Pour rencontrer des personnes qu'on cherche à Paris, que suffit-il de faire?
2. Qu'est-ce qu'un mouchard?
3. Quand les mouchards peuvent-ils affirmer qu'un homme est hors de Paris?
4. Quelle statue se trouve sur le Pont-Neuf?
5. Résumez l'anecdote du pauvre homme en montrant comment il gagne un louis d'or.
6. Quelle est la réputation du Pont-Neuf en province?
7. Que faisait le frère de Louis XIII sur le Pont-Neuf?
8. Racontez l'anecdote de l'Anglais qui a gagné une gageure sur le Pont-Neuf.
9. Quelle est la seule personne qui lui ait acheté des écus?
10. Pourquoi est-on obligé de renouveler les marches du Pont-Neuf?
11. Que vend-on au milieu du pont?

Le Bruit des cloches

1. Qu'est-ce qui a donné à l'auteur l'impression d'être dans une ville de géants?
2. Pourquoi la police a-t-elle fait réduire la grandeur des enseignes?
3. Que font les marchands ambulants pour attirer l'attention publique?
4. Pourquoi l'auteur trouve-t-il que Paris est « la ville la plus tumultueuse de l'Europe » ?
5. Combien de clochers compte-il à Paris?
6. Quand peut-on entendre sonner les cloches?
7. Quel est l'objet de tout ce bruit?

Le Retour d'un émigré

1. Que nous dit Chateaubriand tout d'abord sur l'allure de la France au printemps de 1800?

2. Cette première impression, est-elle renforcée par ce qu'il voit sur la route de Paris?
3. Qu'a-t-il vu à Saint-Denis?
4. Quels sentiments éprouvait-il en rentrant à Paris?
5. Quels bruits a-t-il entendus?
6. Quel effet la place Louis XV a-t-elle eu sur Chateaubriand?
7. La Révolution avait fermé toutes les églises en France. Quel effet le silence des églises a-t-il eu sur Chateaubriand?
8. Pourquoi Chateaubriand devait-il s'adresser à la police?
9. Quelles feuilles avait-il apportées d'Angleterre?
10. Qu'y a-t-il d'émouvant et de drôle dans l'inscription sur la loge du concierge?
11. Qu'est-ce qui lui faisait regretter l'Angleterre?
12. Qu'est-ce qui, selon Chateaubriand, rachète les défauts des Français?

Le Pays Latin

1. Que faisait autrefois le père de Charles d'Essène?
2. Où s'est-il retiré?
3. Pourquoi Charles vient-il voir le narrateur?
4. Combien d'argent M. d'Essène envoie-t-il par mois à son fils?
5. A quelle profession le jeune homme se prépare-t-il?
6. Pourquoi suit-il des cours au Jardin des Plantes?
7. Quel quartier habite-t-il à Paris?
8. Combien paye-t-il son loyer?
9. Quels sont les métiers des habitants de son quartier?
10. Comment s'appelle son hôtel?
11. A quel étage est sa chambre?
12. Décrivez l'intérieur de la chambre.
13. Quelles sont les responsabilités de la domestique?
14. Pourquoi l'étudiant dit-il que son hôtel est un « précis de l'Université »?
15. Pourquoi peut-on appeler ce quartier un « quartier savant »?
16. Décrivez la journée de Charles.
17. Où Charles et ses amis prennent-ils leur dîner?
18. Où les étudiants aiment-ils se promener?
19. Que fait-on dans un cabinet de lecture?
20. Comment s'appelle le café où Charles va une fois par mois?

21. Où le narrateur a-t-il mené le jeune étudiant?
22. Qu'a dit la servante quand Charles est rentré?

Le Pont des Arts

1. Entre quels quartiers de Paris le Pont des Arts sert-il de point de réunion?
2. Qu'est-ce qui prouve que ceux qui passent sur le Pont des Arts n'appartiennent pas aux dernières classes du peuple?
3. Décrivez les habitants du pont.
4. Pourquoi certaines personnes s'y rendent-elles de midi à deux heures?
5. Pourquoi certaines cuisinières préfèrent-elles faire leurs emplettes chez les marchands du Palais-Royal?
6. Ces cuisinières sont-elles honnêtes?
7. Comment certains employés de la rive droite mettent-ils à profit leur passage sur le pont?
8. Qu'est-ce qui se passe à dix heures?
9. Qui arrive sur le pont à midi?
10. Que voit-on sur le Pont des Arts les jours d'élection à l'Académie Française?
11. Comment les gens du pont apprennent-ils les résultats des élections?
12. Qui sont les derniers à passer le pont?

Paris sans montagnes

1. Stendhal a trouvé les environs de Paris « horriblement laids. » Pourquoi?
2. Quels étaient ses deux grands objets d'adoration en 1799?
3. Il avait aimé Paris par réaction contre quelle autre ville?
4. Ayant trouvé Paris « peu aimable », quelle malaise physique Stendhal éprouve-t-il?
5. Pourquoi était-il toujours sur le point d'être écrasé par un cabriolet?
6. Quel homme célèbre avait logé dans la même maison que lui?

7. Où était située la chambre de Stendhal?
8. Que signifie la question: « Paris, n'est-ce que ça? »
9. Quelle est la question terrible qu'il n'avait pas assez d'esprit pour voir nettement en 1799?
10. Qu'est-ce qui achevait Paris à ses yeux?

Une Jeune Femme fait des économies à Paris

1. Où était situé le logement que George Sand avait choisi?
2. Comment s'appelle ce quartier?
3. Décrivez ce logement.
4. Pourquoi ne se sentait-elle pas trop dans « le Paris de la civilisation »?
5. Pourquoi ne lisait-elle pas chez elle?
6. Pourquoi ne pouvait-elle pas travailler à la bibliothèque Mazarine?
7. Quelle sorte de gens y a-t-elle vus?
8. De quoi avait-elle surtout soif?
9. Qu'est-ce qui décourage George Sand quand elle doit parcourir les rues de Paris?
10. Quel conseil d'économie sa mère lui avait-elle donné?
11. Que s'est-t-elle fait faire ensuite par un tailleur?
12. Quels avantages tirait-elle de son nouveau costume?
13. Pourquoi est-ce que personne ne se doutait de son déguisement?

Le Gamin de Paris

1. Même si le gamin de Paris ne mange pas tous les jours, que fait-il tous les soirs, s'il en a envie?
2. Comment est-il habillé?
3. Comment peut-on dire qu'il « vit comme les oiseaux »?
4. Quel âge a-t-il?
5. Où loge-t-il?
6. Commentez le langage qu'il emploie.
7. Comment Hugo le juge-t-il?

La Mort de Gavroche

1. Que faisait Gavroche sur ce champ de bataille parisien?
2. Pourquoi ses camarades n'osaient-ils pas lui crier de revenir?
3. Qui a été frappé par la première balle?
4. Quelle était la réaction de Gavroche?
5. Pourquoi chantait-il?
6. Quels adjectifs pourraient décrire son attitude vis-à-vis du danger?
7. Racontez la mort de Gavroche.

Les Rues de Paris

1. En quel sens les rues de Paris ont-elles une qualité humaine?
2. Comment l'auteur décrit-il la rue de Montmartre?
3. Qu'est-ce qu'il y a dans les rues de l'Île Saint-Louis qui évoque une « tristesse nerveuse »?
4. A quel moment la place de la Bourse est-elle belle?
5. A quoi fait-elle penser alors?
6. Quel est le défaut des rues exposées au nord?
7. Par quelle ingénieuse et émouvante analogie Balzac termine-t-il ce passage?
8. A quoi les grandes portes font-elles penser?

Les Boulevards

1. D'après Bazin, si l'on veut connaître Paris, qu'est-ce qui sera une perte de temps?
2. Où faut-il regarder pour voir le Parisien tel qu'il est?
3. Qu'est-ce que le Parisien aime le mieux faire de ses journées?
4. Quand le Parisien se promène-t-il aux Tuileries?
5. Où se trouvent les boulevards?
6. Quels sont les deux aspects de la vie sociale que l'on peut voir au delà des boulevards?
7. A quoi ressemble le flux des piétons des boulevards?
8. D'après Bazin, qu'est-ce qui distingue Paris des autres villes du monde?

La Butte Montmartre

1. Qu'est-ce qu'on ne trouve plus au centre de Paris?
2. En quoi consistait le charme du second domicile parisien de Nerval?
3. Qu'y a-t-il dans un lever de soleil que Nerval apprécie?
4. Qu'est-ce qui rend l'habitation de Montmartre agréable?
5. Quels sont les changements survenus à Montmartre que Nerval regrette le plus?
6. Que pouvait-on voir dans ce Montmartre de l'époque de Nerval?
7. Que peut-on voir du haut de la butte Montmartre?

Le Mauvais Vitrier

1. Qu'est-ce qui arrive parfois à des gens contemplatifs et apparemment impropres à l'action?
2. Comment peut-on expliquer ce changement?
3. Pourquoi un des amis de l'auteur a-t-il mis le feu à une forêt?
4. Quelle preuve d'énergie pourra donner un autre de ces rêveurs?
5. Pourquoi un de ses amis a-t-il sauté brusquement au cou d'un vieillard pour l'embrasser?
6. Quelle raison Baudelaire suggère-t-il pour expliquer ces actions plus ou moins inexplicables?
7. En ouvrant la fenêtre un matin, quel est le premier son que le narrateur a entendu?
8. Qu'est-ce qu'il a demandé au vitrier?
9. Où habite le narrateur?
10. Quelle était sa satisfaction secrète en pensant à l'ascension du vitrier?
11. Quand le vitrier a paru chez lui, qu'est-ce que le narrateur lui a dit?
12. Son discours fini, qu'a-t-il fait au vitrier?
13. Quand le vitrier est descendu dans la rue sous sa fenêtre, qu'a fait le narrateur?
14. Que lui a-t-il crié en sa folie?
15. Comment expliquez-vous le titre de ce passage?

Hymne à Paris

1. A quel point de vue Paris ressemble-t-il à Athènes?
2. Si l'on se sent seul à Paris, où faut-il aller?
3. Quels plaisirs Sainte-Beuve goûte-t-il en se promenant sur les boulevards?
4. Quelle sorte d'hommes est-on sûr de rencontrer sur les boulevards?
5. Qu'est-ce qui caractérise le quartier où Sainte-Beuve lui-même habite?
6. Pourquoi l'auteur fait-il mention de Montaigne?

Promenade de noce

1. Pourquoi M. Madinier se croyait-il capable de servir de guide?
2. Quelle était la première partie du Louvre que l'on a visitée?
3. Quelle était l'attitude du groupe devant ces chefs-d'œuvre en pierre?
4. Comment l'huissier était-il habillé?
5. Devant quel tableau M. Madinier s'est-il arrêté tout à coup?
6. Qu'est-ce qu'il y avait dans la galerie d'Apollon qui a impressionné les visiteurs?
7. Pourquoi ne s'intéressaient-ils pas beaucoup aux peintures du plafond?
8. Quel événement historique M. Madinier a-t-il rappelé au groupe?
9. Quelle remarque a fait Coupeau quand il s'est arrêté devant la Joconde?
10. Quelle était l'attitude du ménage Caudron devant la Vierge de Murillo?
11. Pourquoi a-t-on commencé à avoir mal à la tête?
12. Pourquoi les artistes avaient-ils installé leur chevalets dans les galeries du Louvre?
13. Qu'est-ce qui s'est passé quand le bruit s'est répandu que la noce visitait le Louvre?
14. Quelle était l'attitude des femmes devant la *Kermesse* de Rubens?

15. Quand M. Madinier s'est perdu dans les galeries du Louvre, de quoi a-t-il accusé l'administration?
16. Qu'est-ce que les gardiens ont crié?
17. Comment M. Madinier s'est-il excusé devant les autres?
18. Où est-ce qu'on s'est réfugié quand il a commencé à pleuvoir?
19. Que faisaient les hommes pour s'amuser?
20. Qu'est-ce qu'on pouvait voir floter dans la Seine?
21. Une fois arrivé sur la place Vendôme, quelle idée a eu M. Madinier?
22. A quelle condition Madame Lerat a-t-elle accepté de monter dans la colonne?
23. Pourquoi est-ce qu'on a ri en montant l'escalier?
24. Décrivez la perspective que l'on a du haut de la colonne.

Les Quais de la Seine

1. Où l'auteur aime-t-il se promener?
2. Quel âge avait le Pont-Neuf quand l'auteur a écrit ce passage?
3. Expliquez l'expression populaire « se porter comme le Pont-Neuf. »
4. Quand est-ce qu'on criait « Vive le roi » sur le Pont-Neuf?
5. Quand est-ce que les pavés de Paris se sont soulevés pour la liberté?
6. D'après ce passage, quelle est la vocation de Paris?

Sortir seule à Paris

1. Quelle heure est-il, à peu près, au commencement de ce récit?
2. Que veut faire Claudine?
3. Pourquoi Mélie ne peut-elle pas l'accompagner?
4. De quoi son père a-t-il peur?
5. Où habitait cette famille autrefois?
6. Que veut acheter Claudine aux magasins du Louvre?
7. Quelles observations rapporte-t-elle de sa course?
8. Racontez ce qui lui est arrivé pendant sa promenade dans la rue des Saints-Pères.

Prière sur la tour Eiffel

1. Que voit le narrateur du haut de la tour Eiffel?
2. Que suggère l'image du «carrefour de la planète»?
3. Qu'est-ce qui a causé les dos courbés et les rides de certains bourgeois et de certains artisans?
4. Donnez d'autres exemples d'« accidents de la pensée ».
5. Que veut dire Giraudoux en comparant les accidents du travail à ceux de la pensée?

Paradoxes parisiens

1. Qu'arrive-t-il, d'après Giraudoux, à l'homme le plus endurci qui habite Paris?
2. Que devient l'étudiant qui habite Paris?
3. Quelle est cette double satisfaction qu'on peut goûter seulement à Paris?
4. Comment l'étranger est-il reçu par le chauffeur de taxi parisien?
5. Au théâtre, que veut l'ouvreuse?
6. Pourquoi tout cela est-il bien égal à l'étranger?

Montparnasse

1. En quoi consiste le « décor » du quartier Montparnasse?
2. Quelle est la « végétation étonnante » qui distingue ce quartier des autres quartiers parisiens?
3. Comment peut-on expliquer la supériorité de Montparnasse sur des quartiers semblables de New-York, de Londres ou de Berlin?
4. Quelles nationalités voit-on ici?
5. Quelles ressemblances y a-t-il entre Montparnasse et une organisation mondiale comme la Société des Nations?
6. En quoi consiste la supériorité de Montparnasse vis-à-vis de la Société des Nations?

Fonction de Paris

1. De quoi une grande ville a-t-elle besoin?
2. Qu'est-ce qui rend une grande ville cosmopolite?
3. Pour quelles raisons vient-on dans les grandes villes?

4. Qu'est-ce qui rend difficile la tâche de définir la fonction de Paris?
5. Pourquoi Valéry croit-il que Paris est la ville la plus *complète* du monde?
6. Qu'est-ce qui distingue Paris d'autres grandes villes?
7. Qu'est-ce qui donne à Paris l'apparence d'une ville « de pur luxe et de mœurs faciles » ?
8. Quand est-ce que Paris a été « deux ou trois fois à la tête de l'Europe » ?
9. Quand a-t-il été « deux ou trois fois conquis par l'ennemi » ?
10. Pourquoi Valéry craint-il pour l'avenir de Paris?

Les Beaux Quartiers

1. Sur quel côté de la Seine se trouvent « les beaux quartiers » ?
2. Qu'est-ce qui caractérise les édifices des beaux quartiers?
3. Quel moment de la journée Aragon a-t-il choisi pour nous présenter ces quartiers?
4. Pourquoi a-t-il choisi ce moment de la journée?
5. Comment sait-on qu'il y aura du monde le soir?
6. Comment Aragon peut-il dire que les beaux quartiers ressemblent à un « long bateau de quiétude et de luxe » ?
7. A quoi ressemblent les squares?
8. Aragon nous dit que ces quartiers sont « comme une échappée au mauvais rêve ». Quel est ce mauvais rêve?
9. En quoi consistent les rêves des gens de ce quartier élégant?
10. En fin de compte, comment est-ce que l'auteur juge les beaux quartiers?

L'Axe le plus illustre du monde

1. Où de Gaulle se rend-il tout d'abord?
2. Quel geste symbolique accomplit-il?
3. Quel itinéraire a-t-il choisi?
4. Quelle est la signification du fait que de Gaulle parle de lui-même à la troisième personne du singulier?
5. Quel est le « miracle de la conscience nationale » qui se passe en ce moment historique?
6. Quels sont les soucis qui se mêlent aux heureuses pensées du général de Gaulle?

7. Quels sont les souvenirs historiques attachés au parcours du général de Gaulle?

8. Nommez quelques rues ou ponts « aux noms de batailles gagnées ».

9. Expliquez l'avant-dernière phrase: « Quatre fois... les Champs-Élysées durent subir l'outrage des envahisseurs défilant derrière d'odieuses fanfares. »

10. Comment comprenez-vous la dernière phrase de ce passage?

Paris fut

1. Comme beaucoup de poètes, Audiberti écrit parfois des poèmes en prose. Montrez dans le premier paragraphe de cette sélection les mots qui riment.

2. Expliquez cette question: « dit-on elle, ou dit-on il » ?

3. Pourquoi Audiberti dit-il « ma joie est morte » ?

4. Qu'est-ce qui l'oblige à sauter d'arbre en arbre?

5. Expliquez la phrase: « Elles sont six cents de plus chaque jour. »

6. Que veut-il faire au Jardin des Plantes?

7. Où habite-t-il maintenant?

Le Soliloque du monsieur en voiture

1. Quelle conclusion sur les feux rouges Fayard tire-t-il de ses expériences?

2. Décrivez l'état d'esprit du narrateur dans sa voiture.

3. Pourquoi se fâche-t-il contre le « professeur » ?

4. Pourquoi se fâche-t-il contre le « candidat au suicide » ?

5. Quelles réflexions fait-il au sujet des femmes qui conduisent une voiture?

6. Où s'est arrêté le camion d'apéritifs?

7. Pourquoi dit-il que ces camions sont sacrés à Paris comme les vaches à Calcutta?

8. Pourquoi ne se fâche-t-on pas contre l'élève de l'auto-école?

9. D'après Fayard, si un carton d'invitation porte « de 6 à 8 », quand les invités commencent-ils à arriver?

10. Que devrait-on faire aux piétons?

11. Expliquez le sens des deux dernières phrases.

VOCABULARY

From this vocabulary have been omitted subject and object personal pronouns, possessives, numerical adjectives, definite and indefinite articles, contractions such as *au* and *du*, exact and most apparent cognates, as well as words and expressions already explained in the footnotes of the text. In the case of irregular verbs, the vocabulary indicates in this order: present participle, past participle, first person singular of the present indicative, and the first person singular of the *passé simple*.

Abbreviations and Signs

adj	adjectif	p s	passé simple
adv	adverbe	part prés	participe présent
conj	conjonction	pl	pluriel
f	féminin	prép	préposition
fam	familier	prés	présent
fig	figuré	pron	pronom
interj	interjection	sing	singulier
m	masculin	subj	subjonctif
n	nom	*	*h* aspiré
p p	participe passé		

abaisser to lower, let down, humble, bring low, abase

abandonner to give up, leave; abandon, desert; *s'—* to let oneself go, give way

abattre to knock down, overthrow

abbé (m) abbot

abîmer to ruin, destroy

abord (m) approach; *d'—* first, at first, first of all

aborder to land, to approach

aboutir to end at or in something; to lead to something

abrégé (m) summary

abréger to cut short, summarize

abri (m) shelter; *à l'—* sheltered, protected

abriter to shelter, protect

abrutir to stupefy with fatigue

absorbé absorbed, occupied

abstrait (adj) abstract; (n m) abstract

absurde (adj) absurd; (n m) absurdity

académicien (m) member of the *Académie Française* (official body composed of 40 distinguished men of letters)

accession (f) union, adhesion

acclamation (f) cheering

acclamer to acclaim, applaud, cheer

accommoder to make comfortable;
s'— l'un de l'autre to put up with
one another

accomplir to do, accomplish

accord (m) agreement; *être d'—*
to agree

accorder to grant, confer;
s'— to agree

accourir to hasten, rush up

accrocher to hook, catch; *s'— à*
to cling to

accroissement (m) growth

s'accroître to increase, grow

accueil (m) welcome

accueillir (*accueillant, accueilli,
accueille, accueillis*) to welcome,
receive

accumuler to accumulate; gather,
pile up

acharné intense, fierce, strenuous;
s'acharner to persist

acheter to buy

achever to finish, complete;
succeed; go on speaking

acier (m) steel

acquérir to acquire, get

actuel present, real, current

admettre to admit, to accept

admirable (adj) admirable,
wonderful

adresser to address, to direct one's
attention; *s' — à* to speak to

adroitement (adv) adroitly,
skillfully

advenir (*advenant, advenu, adviens,
advins*) to happen, occur

affairé (adj) busy; *affairé* (m)
a busy person

affaire (f) business, matter, affair,
concern; *avoir — à* to deal with

s'affaisser to collapse

s'affaler to fall

affecter to allocate, set apart for
certain use

affiche (f) placard, poster

afficher to advertise

affilier to affiliate

affirmer to aver, assert

affleurer to make flush, to level

affluent (m) tributary

affranchir to set free, to release

affreux, affreuse frightful, dreadful

affront (m) offense; *faire un —*
to slight, offend

affût: à l' — in wait, on the watch

afin de in order to

afin que in order that, so that

âgé older, old

agent (m) policeman, agent

agir to act; *il s'agit de* it is a
question of; it is about

agitation (f) stirring, agitation;
s'agiter to get excited, get restless

agrandi made bigger, enlarged

agréable pleasing, pleasant

agrément (m) pleasure, amusement

ahurir to dumbfound, flabbergast

aide (f) help

aïeul (m) grandfather; (*pl.* aïeux)
ancestors

aigre (adj) shrill, harsh, sharp

aigu sharp, pointed

aiguiser to whet, sharpen, stimulate

ailleurs elsewhere; *d'—* moreover,
besides, what is more; *partout —*
anywhere else

aimable lovable, likeable

aimablement pleasantly, kindly

aimant (m) magnet

aimer to love, like; *— bien* to like

aîné elder, eldest

ainsi thus, so, that way; in this
manner (way); *— que* (just) as

air (m) air, manner, look,
appearance; atmosphere; melody;
avoir l'— to look, seem;
avoir l'— de to look like, give the
impression of; *en l'—* up in the
air

aisance (f) ease

aise (f) ease; *être à l'—* to be
comfortable; *mettre à son —*
to put (someone) at ease

aisé well-to-do

aisément easily

ait (subj prés *avoir*, to have)

ajouter to add

aliéné (m) lunatic

alignement (m) alignment, line, row; *s'aligner* to fall into line

alimenter to feed

allée (f) path between a double row of trees

allégement (m) relief

Allemagne Germany

Allemand German

aller (*allant, allé, vais, allai*) to go; *allez-y* get going; go ahead; *allons!* come now!; *s'en* — to go, go away

allié allied

allonger to stretch out

allumer to light, kindle, turn on the light

allure (f) pace, carriage; *à toute* — at a swift pace

allusion (f) hint, allusion

alors then, at that time, consequently; (fam) well, so what? and then what?; — *que* while; *ou* — or else

altérer to change

amant (m) lover

amasser to pile up, accumulate

amateur (m) fan, amateur

ambitieux (n m) ambitious person; (adj) ambitious

ambulant itinerant; *marchand* — peddler

ambulatoire ambulatory

âme (f) soul, person

amener to lead; *s'* — (fam) to arrive, show up

amer bitter

amical friendly

amincir to thin down

amitié (f) friendship

amoureux in love, enamoured of

amplement fully

amuser to amuse, entertain; *s'* — to enjoy oneself

an (m) year

analogue (m) analogy, parallel

anarchie (f) anarchy, confusion

ancien, ancienne (adj) ancient, old, former; (n m) the old

anéantir to annihilate; *s'* — to disappear, vanish

ange (m) angel

angle (m) angle, corner

Angleterre England

animation (f) quickening, liveliness

année (f) year

annonce (f) advertisement; announcement; *annoncer* to announce

antique (f) ancient

août (m) August

apaiser to allay

apéritif (m) appetizer drink

aplomb (m) poise, balance

Apollon (m) Apollo (god of the arts)

apparaître (*apparaissant, apparu, apparais, apparus*) to appear

appareil (m) display, instrument

apparemment apparently

apparence (f) appearance

appeler to call; *s'* — to be called

apporter to bring, carry (to)

apprécier to appraise, value, appreciate

apprendre (*apprenant, appris, apprends, appris*) to learn; teach; tell

apprivoiser to tame, domesticate

approche (f) approach

approcher to draw near, bring near; *s'* — to approach

appuyer to press, lean on; push

âpre rough, harsh

après after; afterwards, later; *d'* — according to

après-midi (m et f) afternoon

arbre (m) tree

arc (m)   bow
arc-en-ciel (m)   rainbow
arche (f)   arch
ardent   burning, passionate
ardeur (f)   extreme heat; excessive
   liveliness
ardoise (f)   slate
argent (m)   money; silver
arlequin (m)   Harlequin
arme (f)   weapon
armer   to arm, prepare for war;
   s'—   to arm oneself
arôme (m)   aroma
arracher   to tear, tear away, uproot;
   s'— à   to tear oneself away from
s'arranger   to set things right
arrêt (m)   arrest, stop
arrêter   to stop, halt; *s'—*   to stop
arrière: en —   back, behind
arrivant (m)   person arriving
arrivée (f)   arrival
arriver   to arrive; succeed, happen;
   come, reach
arroser   to water, to sprinkle
articulation (f)   joint
artisan (m)   craftsman, working
   man
ascenseur (m)   elevator
ascension (f)   ascent
aspect (m)   appearance, look,
   aspect
asphyxier   to suffocate
assaisonner   to season
assassin(e) (adj)   murderous
assassiner   to assassinate
assemblée (f)   assembly, meeting
assener   to strike (a blow)
asseoir   (*asseyant, assis, assieds,
   assis*) to seat; *s'—*   to sit down,
   take one's seat
assez   enough, sufficiently; fairly
assidûment   assiduously,
   industriously
assis (p p *asseoir*)   seated, sitting
assistance (f)   attendance, presence
assister à   to attend, be present at,
   witness

s'associer   to participate in sth.
assombri   darkened
assombrir   to darken, obscure
assommoir (m)   bludgeon, club
assyrien   Assyrian
astrologue (m)   astrologer
atelier (m)   workroom, workshop,
   studio
Athènes   Athens
atmosphère (f)   air
s'attacher   to take hold, attach
   oneself to
attaquer   to attack, begin
s'attarder   to linger, loiter
atteindre   (*atteignant, atteint,
   atteins, atteignis*) to reach
attendre   to wait for, await; expect;
   s'— à   to expect
attendrir   to move, touch the heart;
   s'—   to be touched emotionally,
   to be moved
attentat (m)   (criminal) attempt
attente (f)   waiting, expectation
attentivement   carefully
attester   to certify sth.
attirer   to draw; draw out; attract
attribuer   to ascribe, to attribute
au plus (adv)   at (the very) most
aube (f)   dawn
auberge (f)   inn
audience (f)   hearing, session
augmenter   to increase
aujourd'hui   today
auprès de   near to, close to; *— moi*
   at my side
aurore (f)   dawn
aussi   too, also; so, consequently;
   —... que   as ... as
aussitôt   immediately, at once, right
   away, on the spot
autant   as much, so much; so many,
   as many; *— que*   as much (many)
   as; so long as; *d'— que*   more
   especially as; *tout —*   quite as
   much, quite as many
auteur (m)   author

autochtone (m)   autochthon,
  aborigine
auto-école (f)   driving school
automobiliste (m)   driver (of a car)
autoriser   to authorize, permit
autour de   around, surrounding
autre (adj et pron)   other, another;
  different; other person, other
  thing; *de temps à* —   from time
  to time
autrefois   formerly
autrement   otherwise
avance (f)   advance; *à l'* —   in
  advance; *d'* —   in advance
avancer   to advance, go forward,
  protrude; *s'* —   to advance, go
  forward, come forward
avant   before (of time), previously,
  earlier; — *de*, — *que*   before;
  en —   ahead
avenir (m)   future
averse (f)   sudden shower,
  downpour
avertir   to warn
avertissement (m)   warning
avertisseur (m)   horn (on a car)
aveugle (m et f)   blind person;
  (adj) blind
avide   greedy, avid
avidité (f)   greediness, eagerness
aviser   to inform, warn
avoir   (*ayant, eu, ai, eus*) to have;
  — *à*   to have to; — *affaire à*   to
  deal with, have to do with;
  — *beau* + inf   to do something in
  vain, to no purpose; — *besoin de*
  to need; — *chaud*   to be hot;
  — *de la peine*   to have difficulty;
  — *du mal à*   to have difficulty in;
  — *faim*   to be hungry; — *froid*
  to be cold; — *honte*   to be
  ashamed; — *l'air de*   to appear
  to be; — *peur*   to be afraid;
  — *raison*   to be right; — *soif*
  to be thirsty; — *sommeil*   to be
  sleepy; *il y a*   there is, there are;
  il y a longtemps   a long time ago

avoisiner   to be near sth.
avouer   to admit, confess; *s'* —
  to admit to oneself, confess to
  oneself
axe (m)   axis
ayez   (subj prés *avoir*, to have)
azimut (m)   azimuth;
  prendre un —   to take a bearing

babillard   talkative
bâbord (m)   port (side)
badaud (m)   saunterer, stroller,
  gaper
badiner   to jest, trifle; to tease
baie (f)   berry
baigner   to bathe
bâiller   to yawn, gape
baïonnette (f)   bayonet
baisser   to lower
bal (m)   ball (dance)
balance (f)   scale
balbutier   to stammer, mumble
balcon (m)   balcony
balle (f)   bullet, ball
ballon (m)   balloon, ball
balustrade (f)   handrail, railing
banal   trite, commonplace
bande (f)   gang, group
banlieue (f)   suburbs, outskirts
banqueroute (f)   bankruptcy
banquette (f)   bench, seat
baptême (m)   baptism
barbare (adj)   barbaric; uncouth
barbarie (f)   barbarism
barbe (f)   beard
barbouiller   to smear, soil, dirty
barque (f)   boat
barrière (f)   city gate, barrier
  lower part; *en* —   (down) below
bas (adj et n m)   low, bottom,
bas (m)   stocking
bataille (f)   battle
bataillon (m)   battalion
bateau (m)   boat
bâtir   to build
bâtisse (f)   ramshackle shed
battant, battante   beating

battre (*battant, battu, bats, battis*)
to beat; bang, close with a noise;
se — to fight
bavardage (m)   chit-chat, gossip
bavarder   to chatter, gossip
béant   open, gaping
beau (*bel, belle*)   beautiful,
handsome; (fam) fine; *avoir —*
to do something in vain
beaucoup   much, very much; many,
very many
belle-sœur (f)   sister-in-law;
stepsister
bénévole   benevolent, indulgent
berceau (m)   cradle
besoin (m)   need; *avoir — de*
to need
bête (adj)   stupid; (n f) beast,
animal
betterave (f)   beet
bibliothèque (f)   library
bien (m)   goods, property, riches;
good (as opposed to evil), virtue
bien (adv)   well, very, very well;
clearly, indeed, really; much,
quite; *— de* many
bienfaisance (f)   beneficence,
charity
bienheureux, bienheureuse   blissful,
happy; (n f) one of the blessed
bientôt   soon
bienveillant   kind, kindly
bijou (m)   jewel, gem, piece of
jewelry
billet (m)   ticket
bizarre   peculiar, odd, strange
blanc, blanche   white
blanchisseuse (f)   laundress
bleu   blue
bleuâtre   bluish
blindé   armored
blouse (f)   overall, smock
bois (m)   wood, woods
boîte (f)   box
boiteux   lame, limping
bon, bonne   good; well, O.K.
bond (m)   leap, jump

bondir   to leap, bound
bonheur (m)   happiness
bonhomme (m)   simple, good-
natured man; statuette
bonnet (m)   cap
bonté (f)   goodness
bord (m)   edge
border   to border, to fringe
borne (f)   boundary-mark, limit,
bounds; (stone) corner-post
se borner   to restrict, to limit
oneself; to exercise self-restraint
bosse (f)   hump, bump
bossu (adj et n m)   hunchback
botte (f)   boot
bouche (f)   mouth
boucher   to stop, plug up sth.
bouchon (m)   cork
boucle (f)   buckle
boudeur, boudeuse   sulky
boue (f)   mud
bouleverser   to overturn; overwhelm,
upset
bouquet (m)   nosegay, posy,
bouquet
bourdonnement (m)   buzzing noise
bourgeois(e) (adj)   middle-class,
usually implying conventional
tastes and morals; (n m et f)
man or woman of the middle class
bourse (f)   purse, pocket book;
scholarship; stock exchange
boursier (m)   holder of a
scholarship
bousculer   to jostle, turn everything
upside down
bout (m)   end, limit; *au — de*
at the end of, after
bouteille (f)   bottle
boutique (f)   shop
boyau (m)   bowel, gut
bras (m)   arm
brave   bold, gallant; good, honest
bref   brief, short
bréviaire (m)   breviary
brillant   brilliant, shining, shiny
briller   to shine, sparkle

brin (m)   blade (of grass)
brique (f)   brick, tile
briser   to smash, shatter, break
broc (m)   pitcher, jug
broder   to embroider
brosse (f)   brush
brouillard (m)   fog
brouter   to graze
bruit (m)   noise
brume (f)   haze
brusquement   suddenly
brute (f)   brute beast, ruffian
bruyant   noisy
bûche (f)   log
buraliste (m)   clerk
bureau (m)   office
but (m)   end, goal
buter   to strike, to stumble
butte (f)   knoll, mound

ça (= *cela*)   that; (as for) that;
— *va*   that's enough, O.K.;
— *y est*   that's it; (adv) here
cabanon (m)   small hut
cabaret (m)   small restaurant or
   nightclub
cabinet (m)   office, study,
   consulting room, room
cabriolet (m)   gig
cachet (m)   seal
cacophonie (f)   cacophony, harsh
   sound, dissonance
cadavre (m)   corpse
cadran (m)   dial
cadre (m)   frame
café (m)   coffee; café, bar;
   café-crème (m)   coffee with
   cream
caillou (m)   pebble, stone
caisse (f)   crate; cash-register
calcul (m)   calculation
camarade (m)   fellow, friend, pal;
   (adj) chummy
cambrioleur (adj)   like a house-
   breaker, or a burglar; stealing
camion (m)   truck

campagne (f)   open country,
   countryside; campaign
canal, canaux (m)   channel, canal
caporal (m)   corporal
caprice (m)   whim
car (conj)   for
caractère (m)   character; graphic
   symbol
caractériser   to characterize
carré   square, square-shouldered
carrefour (m)   crossroad, square,
   intersection
carrière (f)   arena; quarry; career
carrosse (m)   coach, carriage
carrousel (m)   tournament
cartable (m)   school satchel
carte (f)   card
carton (m)   cardboard
cartonnage (m)   cardboard boxes,
   cases
cartonnier (m)   cardboard-maker,
   -seller
cartouche (f)   cartridge
cartouchière (f)   cartridge pouch
cas (m)   case; *en tout* —   in any
   case
caser   to put away sth.
casque (m)   helmet
casser   to break
causer   to cause; to talk, chat
cave (f)   wine-cellar, cellar
ceindre   to gird on
ceinture (f)   belt
célèbre   famous
cellulaire   cellular
cellule (f)   cell
cendre (f)   ash, cinder
censure (f)   censorship
centre (m)   center, hub
cependant   however, yet, still,
   nevertheless; (adv) meanwhile
cerceau (m)   hoop
cercle (m)   circle, club
certes   indeed!, to be sure!; most
   certainly, indeed
cesser   to cease, stop

chacun(e)   each (one), everybody

chagrin (m)   grief, sorrow, trouble

chagriner   to cause grief

chaise (f)   chair

chaleur (f)   heat, warmth

chambre (f)   room, bedroom

chambrette (f)   little room, attic

chameau (m)   camel

champ (m)   field

champêtre   rustic, rural

chance (f)   luck

chanceler   to stagger, totter

chandelier (m)   candlestick

chandelle (f)   candle

change (m)   exchange

changement (m)   change

chanson (f)   song

chanter   to sing

chanterelle (f)   decoy, birdcall;
first string of violin

chapeau (m)   hat

chapelle (f)   chapel

chapitre (m)   chapter

chaque   each, every

charbon (m)   coal

charge (f)   load, burden,
responsibility; *être à* — to be a
burden

charger   to put in charge of sth.;
to weigh down; *se* — to shoulder
a burden, to undertake; *chargé*
in charge

charité (f)   charity

charlatanerie (f)   charlatanism,
quackery

charlatanisme (m)   charlatanism,
quackery

charmant   lovely, charming

charrette (f)   cart

charrier   to cart, carry

chasse (f)   hunting, chase

chasser   to chase away; pursue

chasseur (m)   hunter

chat, chatte   cat

château (m)   castle

chatouiller   to tickle

chaud, chaude   warm, hot; *avoir* —
to be hot (of persons); *faire chaud*
to be hot (of weather)

chauffage (m)   warming, heating
(of room, etc.); heating system

chauffer   to heat, warm

chauffeur (m)   driver, chauffeur

chaumière (f)   thatched cottage

chaussée (f)   roadway

chausser   to put on (shoes, etc.)

chaussure (f)   footwear; (pl) shoes

chaux (f)   whitewash

chef (m)   head, chief

chef-d'œuvre (m)   masterpiece

chemin (m)   path, way, road, route

cheminée (f)   fireplace, chimney,
mantelpiece

chemise (f)   shirt; — *de nuit*
nightgown

cher, chère   dear, precious, darling;
expensive; dearly, at great cost

chercher   to look for; search (for),
seek, seek out

cheval (m)   horse; *à* — on
horseback

chevalet (m)   easel

chevelure (f)   (head of) hair

cheveu (m)   strand of hair; (pl)
hair

chèvre (f)   goat

chez   at the house of; in; among;
— *moi* at my home

chien (m)   dog

chiffonnier (m)   ragman

chimère (f)   chimera

chirurgie (f)   surgery

choc (m)   shock

choisir   to choose, select

choix (m)   choice

chose (f)   thing; matter; affair;
question

chou (m)   cabbage

chrétien, chrétienne   Christian

christianisme (m)   Christianity

chrome (m)   chromium, chrome

ciel (m)   sky; heaven

ciment (m)   cement

circuler to circulate, to move about

ciseler to engrave, chisel, carve; to cut

cité (f) city, town; group of buildings forming a housing unit

citoyen (m) citizen

citron (m) lemon

civilisé civilized

clair (adj) clear; plain; bright; light; (adv) clearly, plainly; (n m) light; — *de lune* moonlight

clameur (f) clamour, outcry

clarinette (f) clarinet

clarté (f) clearness, clarity; notion, idea

classe (f) class, classroom

clef (f) key

clerc (m) clerk

cliquetis (m) rattling, clank(ing), click(ing)

cloche (f) bell

clocher (m) steeple, bell tower

clos closed, enclosed

clou (m) nail

cochon (m) pig

cocktail (m) cocktail party

code (m) code, statute-book

coeur (m) heart, courage, feeling, affection

cohue (f) crowd, mob

coiffeur (m) hairdresser

coin (m) corner

collaborationniste (m) collaborator

colle (f) glue

collé glued

collège (m) college, secondary school

se coller to stick, adhere closely

colonne (f) column

colosse (m) colossus, giant

combat (m) fight, contest

combattant (m) fighting man

combattre to fight, to contend

combien (*de*) how, how many, how much

combinaison (f) combination, arrangement

combiner to combine; to plan

comble (adj) full of people; (n m) highest point

comestible (m) article of food

comité (m) committee

commandant (m) commanding officer

commandement (m) command, order

commander to command, order

comme (adv) as (a) ; like; how; as if; — *pour* as if to

comme (conj et prép) as, like; — *cela* like that, in this way

commencement (m) beginning

comment how; what!, what?

commentaire (m) commentary

commerce (m) trade, business

commettre to commit

commissaire (m) commissary, commissioner

commissariat (m) central police station

commode simple, easy, convenient

commodément conveniently

commun common, joint, in common; *en* — in common

communauté (f) community

compagne (f) female companion

compagnie (f) company, (theater) troupe

compagnon (m) companion, comrade

comporter to admit, to allow; to comprise

composer to compose, make up; *se* — to be composed of sth.

comprendre (*comprenant, compris, comprends, compris*) to understand, comprehend; comprise, include

compris (p p *comprendre*, to understand)

compromettre to compromise

compte (m) count, account;
se rendre — de to realize,
appreciate
compter to count, account; intend,
expect
comptoir (m) counter
concierge (m et f) porter, caretaker, lodge-keeper; caretaker of
hotel or apartment house
concurrence (f) competition
concurrent (m) rival, competitor
condamnation (f) condemnation,
judgment
condamner to condemn, sentence
conduire (*conduisant, conduit,
conduis, conduisis*) to drive, lead,
conduct; take; *se —* to conduct
oneself, behave
conférence (f) lecture
conférer to compare, to confer
confiance (f) trust
confins (m pl) confines, limits,
borders
confrérie (f) (religious) brotherhood
confus mixed, jumbled
confusément confusedly
connaissance (f) acquaintance
connaître (*connaissant, connu,
connais, connus*) to know, be
acquainted with
conquérir to conquer
consacrer to consecrate, dedicate
conscience (f) consciousness,
conscience
consciencieux conscientious
conseil (m) counsel, advice;
council
consentir to consent
conserver to keep, preserve, retain;
se — to keep
considération (f) regard, esteem,
respect, attention
consoler to console, comfort
consommation (f) consumption;
drink (in café)
constamment constantly

consumer to wear away, destroy,
consume
contenir to contain, hold
content(*e*) happy, content, satisfied
contenter to content, satisfy;
se — (*de*) to be content with,
satisfy oneself with
conter to tell, relate
contester to challenge
continuité (f) continuity, cease-
lessness
contour (m) outline
se contraindre to control oneself
contraire (m) contrary; *au —*
on the contrary
contre against, close to, on
contrée (f) region, country
contrôle (m) checking, testing,
control
convaincre to convince
convenance (f) conformity
convenir to agree, suit
convoi (m) convoy
copieux copious
copiste (m) copier, imitator
coquetterie (f) flirtatiousness
cor (m) horn, corn (on foot)
corde (f) rope, cord
cordon (m) ribbon
cordonnier (m) shoemaker
corne (f) horn
cornet (m) small horn, trumpet
corps (m) body; corpse, mortal
remains
corridor (m) hallway, passage,
corridor
corsaire (m) corsair, privateer
cortège (m) train, retinue,
procession
cosmopolite cosmopolitan
cossu wealthy, well-to-do
costume (m) costume, dress, suit
côté (m) side, direction, way; *à —*
near, next; *à — de* beside;
de ce — on this side;
de l'autre — on the other side
coteau (m) slope, hillside

coterie (f)   political, literary group
coton (m)   cotton
cou (m)   neck
couchant (m)   sunset
couche (f)   layer
coucher   to spend the night, sleep,
   lie; *se —*   to lie down
coude (m)   elbow
couler   to flow, run
couleur (f)   color
couloir (m)   passageway, corridor
coup (m)   blow, stroke; ring (of
   bell) ; shot, report (of gun) ; trick;
   — de fusil   gun shot; *— de tête*
   nod; *— d'œil*   glance; *tirer un —*
   to shoot; *tout d'un —*   all at once,
   all of a sudden; *— de coude*
   poke with the elbow; nudge
coupable   guilty, at fault
couper   to cut
couplet (m)   verse
cour (f)   court
courant (adj)   everyday, ordinary;
   être au — de   to be informed
   about
courant (m)   current, electric
   current
courber   to bend, curve
courir (*courant, couru, cours,*
   courus) to run; run after; hasten
couronne (f)   crown
couronner   to crown
courroucé   angry
cours (m)   course; *au — de*
   during; *suivre un —*   to take a
   course
course (f)   race; excursion, outing
court(e)   short
courtois   courteous
coûter   to cost
coutume (f)   custom
couvent (m)   convent, nunnery
couver   to brood, hatch
couvert (p p *couvrir*, to cover) ;
   (m) cover, place setting (for a
   meal)
couverture (f)   blanket

craindre   to fear
craquer   to crack
cravate (f)   tie
créancier (m)   creditor
crédulité (f)   credulity, credulous-
   ness
crever   to burst, split
cri (m)   shout, cry, note; *pousser*
   un —   to scream
crier   to call, cry, cry out, shout
crise (f)   fit; crisis
cristal (m)   crystal, glass
critique (f)   criticism; (m) critic
crochet (m)   hook
croire   to believe, think; expect;
   imagine; *— à*   to believe in, have
   faith in
croisé (m)   crusader
croiser   to cross, pass
croissant (m)   crescent; French
   breakfast roll
croix (f)   cross
crotté   dirty, mud-bespattered
croupir   to lie, wallow (in filth,
   etc.), to stagnate
cueillir   to gather, pick (fruit,
   flowers, etc.)
cuir (m)   leather
cuisine (f)   kitchen, cooking
cuisinière (f)   cook
cuisse (f)   thigh
cul-de-sac (m)   blind alley
culte (m)   worship, service
curieusement   curiously
curieux (m)   curious individual
curieux, curieuse   curious, odd,
   peculiar
cuvette (f)   wash-basin

davantage (adv)   more
débâcle (f)   downfall, collapse
débandade (f)   stampede, confusion
débandé   disbanded
débarrasser   to disencumber, clear,
   relieve
débiteur (m)   utterer; debtor

débouché (m)   outlet, opening, issue

debout   standing

début (m)   beginning

débuter   to make a debut, to start

décacheter   to unseal, break open

décent   decent, modest

déception (f)   deception, disappointment

décevant   deceptive, delusive, fallacious, disappointing

décevoir   to deceive, delude, disappoint

déchaînement (m)   letting loose, unchaining

déchaîner   to unchain, let loose

décharge (f)   unloading, relief, discharge

décharger   to unload, discharge

déchiqueté   jagged

déchirant (e)   heart-rending, harrowing

décidément   decidedly, really and truly, definitely

se décider (à)   to make up one's mind

décimer   to decimate

décimètre   = one-tenth of a meter

déclarer   to declare, state, make known

déclencher   to release, to start

décoller   to unstick, unglue

décolleur (m)   one who removes posters from walls, billboards, etc.

décombres (m pl)   rubbish, debris

se décomposer   to decompose, rot, decay

décor (m)   setting

décoration (f)   decoration, ornamentation, embellishment

décorer   to decorate, adorn

découper   to cut up, out

décourager   to discourage

découvert   uncovered, hatless

découvrir   to discover

décrire   to describe

décrocher   to unhook

dédaigner   to scorn, disdain

dédaigneux   scornful, contemptuous

dédale (m)   labyrinth, maze

dedans   in it, inside

dédommagement (m)   indemnity

défaite (f)   disposal, defeat

défaut (m)   flaw, fault

défendre   to defend, protect, forbid

défilé (m)   march

défiler   to walk, file off

dégoût (m)   disgust, dislike

dégoûter   to disgust, sicken, inspire dislike in

déguisement (m)   disguise, get-up

déguiser   to disguise

dehors   outside, out; *au* — outside

déjà   already, even

déjeuner (m)   lunch; *petit* — (m) breakfast

delà, au — *(de)*, *par* — beyond

délabrement (m)   disrepair, decay

délaissé   abandoned, relinquished

délassement (m)   rest, relaxation

se délasser   to relax

délégué (m)   delegate

délibérer   to deliberate, take counsel

délivrer   to deliver, to rescue; *se* — to rid oneself of s.o., of sth.

demain   tomorrow

demander   to ask; *se* — to wonder

démarche (f)   gait, step

démentir   to contradict, to deny, to belie

demeure (f)   dwelling, house, residence, abode

demeurer   to remain, stay; live, reside

demi   half; *à* — half; *à* — *voix* in a low voice

demi-douzaine (f)   half a dozen

demi-tour (m)   half-turn; *faire* — to turn back, to turn around

démolir   to demolish

denier (m)   one-twelfth of a sou

dense   crowded, dense

dent (f)   tooth

départ (m)   departure

dépasser to pass, to overtake
dépaysé out of one's element
dépens (m pl) costs, expenses
se déployer to unfurl, to spread
déporté (m) deported person
déposer to deposit, lay, set (sth.) down
dépôt (m) store, depot, police station
dépouiller to cast off, to deprive, strip, despoil
déprécier to depreciate
déprimer to depress
depuis since, from, for, after, ago, past; — *quand* how long; — *que* since
député (m) deputy, delegate
déranger to disturb
dernier, dernière last, latest, latter
derrière after, behind; *par* — from behind
dès from, since, as early as; — *que* as soon as, from the time of
désabuser to disabuse, disillusion
désagrément (m) unpleasant occurrence
désappointement (m) disappointment
désapprouver to disapprove of, object to sth., s.o.
désastreux, désastreuse disastrous
descendre to go down, descend, get down, go downstairs
désert(e) deserted, empty
désespoir (m) despair
déshonorer to dishonor
désigner to designate, indicate
désir (m) desire, wish
désirer to desire, want
désœuvrement (m) idleness, leisure
désormais henceforth
dessein (m) design, plan, scheme
dessin (m) drawing, sketch, design
dessiner to draw, design, sketch
dessus above, over, on it; *au-dessus (de)* above, on, over

dessus (m) top, upper part
destin (m) fate, destiny
détaché aloof, detached
détenir (*détenant, détenu, détiens, détins*) to hold, detain
détenu (m) prisoner
détester to hate, detest
se détourner to turn away, turn aside
détriment (m) loss, detriment
détruire to destroy
devancer to precede, go or come before
devant before, in front of, ahead
devenir to become, become of
déverser to slope, to pour, discharge
deviner to guess, understand
devoir (m) duty; homework
devoir to owe, be obliged to, have to, should, ought; *il doit* he must, he is supposed to, he is likely to; *il devrait* he ought to
dévoué devoted
dévouement (m) devotion to duty, devotion
diable (m) devil
diamant (m) diamond
dictée (f) dictation
dieu (m) god, God
digne deserving, worthy
dîner (m) dinner
dîner to dine
dire to say, tell; *c'est-à-dire* that is to say; *vouloir* — to mean
diriger to direct, administer, manage, control; *se* — *vers* to go toward, to make one's way toward
discordant inharmonious
discorde (f) discord, dissension, strife
discours (m) discourse, speech, dissertation
disparaître to disappear
disparition (f) disappearance
dispensaire (m) dispensary, welfare center

dispenser to dispense, exempt, excuse s.o. from sth.; to distribute; *se —* to excuse oneself from something

disperser to scatter, spread

disponibilité (f) availability

disproportionné disproportionate, out of proportion

se disputer to quarrel

dissiper to dissipate, spend

dissoudre to dissolve

distinguer to make out, distinguish; *se —* to be distinct, be different

distrait distracted, vacant

divers(e) diverse, varied, varying

diversement variously

divertir to divert, entertain, amuse

divertissant diverting, amusing, entertaining

diviser to divide

division (f) division; dividing wall, partition

docte learned

doigt (m) finger

dôme (m) dome, cupola

domestique (m et f) servant

domicile (m) residence, abode

dominer to dominate, rule, govern

donc therefore, consequently, then, indeed, so, now, now then

doré gilded, golden

dormir to sleep

dorure (f) gilding

dos (m) back

dosage (m) proportion, dosage

douanier (m) customs officer

doubler to pass (a car, etc.)

doucement gently, softly

douceur (f) gentleness

douleur (f) pain

doute (m) doubt, uncertainty; *sans —* doubtless

douter to doubt; *se — de* to suspect

Douvres (f) Dover

doux, douce sweet, gentle, soft, pleasant

drap (m) cloth, sheet

drapeau (m) flag

dresser to set up, raise, prepare, adjust, erect; *se —* to stand up, get up, rise

droit (m) right, privilege, law

droit(e) straight, right

droite (f) right, right side; *de —* on the right

drôle queer, funny, odd, strange

dru thick, strong, close-set

durant during

durer to last, endure

dynamique (f) dynamics; (adj) dynamic

eau (f) water

s'ébattre to gambol, frolic, play, sport

ébrécher to notch, chip, break, damage

écarlate (f) scarlet

écarter to get rid of, separate, part, draw or move aside; *s'—* to draw aside, move away, spread, stray

échafaudage (m) scaffolding

échange (m) exchange, barter

échanger to exchange

échappée (f) escape; escapade; space, interval; glimpse

échapper to escape, flee

échelle (f) ladder, scale

échiquier (m) chessboard

éclabousser to splash, bespatter

éclaircir to clear (up), to lighten, thin

éclaircissement (m) enlightenment, elucidation, clearing up

éclairer to light, illuminate

éclat (m) brilliance

éclatant bursting, loud, dazzling, illustrious

éclater to split, burst, explode

écolier (m) student, pupil, schoolboy, scholar

économie (f) economy, saving, management, thrift

écorce (f) bark (of a tree)

écouter to listen, listen to, listen for, mind, pay attention to

écraser to crush, run over

écriteau (m) placard, bill, notice

édification (f) erection, building, enlightenment

édifice (m) building, edifice

effacer to obliterate, delete; *s'—* to become obliterated, to wear away

effet (m) effect, fact, result, action, impression; *en —* in fact, indeed, really, as a matter of fact

effrayant(e) frightful, dreadful

effrayer to frighten

égal equal, same

égard (m) regard, respect; *à l'— de* in respect to; *à son —* in respect to . . .

égarer to lead astray, to misguide, mislay

église (f) church

égrillard lewd, ribald, naughty

eh why!; *— bien* well!

élan (m) burst (of energy or feeling), outburst, dash

s'élancer to bound, rush, dash forward; *s'— vers* to hurl oneself toward

élastique elastic, springy

élection (f) election, polling; choice; preference

élève (m et f) pupil, student

élevé reared; *bien —* well-mannered

élever to raise, build, set up, erect, educate, bring up, lift; *s'—* to rise, rise up, to raise oneself, be raised, be erected

éloigné far (away), distant, remote

éloigner to set at a distance; *s'—* to go away

embarquer to embark, to ship, take aboard

embarras (m) obstruction, obstacle, encumbrance

embarrassant cumbrous, cumbersome, embarrassing, awkward

embarrasser to embarrass, hamper, trouble, inconvenience

embaucher to engage, hire, to crimp

embrasser to kiss, embrace

émerveiller to amaze, fill with wonder

emmener to lead, take, away or out; escort, bring

émotion (f) feeling, emotion, thrill

émotionnant exciting, thrilling

émouvant(e) moving, touching, stirring

émouvoir to move, rouse, touch

s'emparer to take hold of, seize, secure

empêcher to hinder, prevent, stop, impede

emplette (f) purchase

emplir to fill (up)

emploi (m) use, employment, occupation

employer to employ, use

emportement (m) transport (of anger)

emporter to carry away, take away, carry off; *l'—* to take the prize (fig)

empreinte (f) impress, print, stamp

ému moved, touched

encadrer to frame

encaisser to encash, collect

encastrer to embed, set in, house, recess; *s'—* to fit in

enceinte pregnant

enchaîner to chain up, link, connect

enclos (m) enclosure, paddock, ring-fence

enclos (p p *enclore*) fenced in, enclosed

encore still, yet, again, also, even, more; *— une fois* once more, over again; *pas —* not yet

encre (f) ink

s'endormir to fall asleep, to go to sleep

endosser to don, to put on (clothes)

endroit (m) place, spot, side, aspect

endurcir to harden, inure

enfance (f) childhood

enfant (m et f) child, offspring, son, baby

enfer (m) hell

enfermer to shut (s.o., sth.) up, enclose, shut in, include; *s'—* to be shut in

enfilade (f) succession, series

enfiler to go up, to thread, to take, go up a street, to slip on one's clothes, to enfilade

enfin finally, at last, after all, in short, in a word, indeed, well, and so

enfoncement (m) driving (in), breaking open, hollow, alcove

engager to compel, oblige, pledge, engage, catch, begin; *s'—* to commit oneself, to enlist

engendrer to beget, engender, generate, breed

engin (m) engine, machine, device, gadget

enlever to remove, take away (off), carry away (off)

ennemi (adj) enemy, hostile

ennui (m) worry, anxiety, annoyance, boredom

ennuyer to annoy, worry, bother, bore, weary; *s'—* to be bored, to weary

ennuyeux boring, tedious, importunate

enorgueillir to make proud

énorme large, enormous, huge

enrager to (fret and) fume

s'enrhumer to catch cold

enroué(e) hoarse, husky

ensanglanter to cover, stain with blood

enseigne (f) sign, placard

enseigner to teach

ensemble (adv) together; (n m) total effect, whole, unity, entirety

enserrer to enclose, encompass, to squeeze, crush

ensuite after (wards), then, next

s'entasser to accumulate, to pile up, to crowd together

entendre to hear, understand, mean, intend; *bien entendu* of course, certainly

enterrement (m) burial, funeral

enterrer to put in the earth, plant, bury, inter

enthousiasme (m) enthusiasm

entier, entière entire, whole, complete, completely, entirely

entourer to surround, wrap, encompass

entre between, among, above

s'entrecroiser to intersect, interlace, to crisscross

entrée (f) entrance, entry, entering

entreprise (f) undertaking, venture, enterprise

entrer (*dans*) to come in, enter, go in

entresol (m) mezzanine (floor)

entretien (m) conversation, talk, upkeep, maintenance

envahisseur (m) invader

envelopper to envelop, wrap up

envier to envy

environ about, approximately

environs (m pl) surroundings, outskirts

s'envoler to fly away

envoyer to send

épais, épaisse thick, heavy

épanouir to cause to open out

épaule (f) shoulder

épicier (m) grocer

épine (f) thorn

épluchures (f pl) peelings, parings, refuse

s'éponger to mop up

époque (f) epoch, era, age

épouser to marry, wed

épouvantable dreadful, appalling, horrifying, shocking

éprouver to feel, experience, undergo; to test, try

épuiser to exhaust, consume, wear, tire

équarrir to square

équestre equestrian

équilibre (m) equilibrium, balance

équipage (m) carriage and horses

équipe (f) gang, team, crew

errer to roam, stray, wander, err, be mistaken

escadrille (f) flotilla, squadron

escalier (m) stairway, staircase; (flight of) stairs

esclave (f et m) slave

escorte (f) escort, convoy

espace (m) space, area

espagnol Spanish

espèce (f) kind, sort, species

espérance (f) hope

espoir (m) hope

esprit (m) spirit, mind, wit, feeling

esquisse (f) sketch, draft, outline

essai (m) essay, trial, test, attempt, try

essayer to try, attempt

essentiel (m) the important thing

estimable worthy, estimable, fairly good

estime (f) esteem, opinion

estimer to estimate, appraise, consider, deem

estomac (m) stomach

estrade (f) platform, stage

établir to set up, establish; *s'—* to establish oneself, to take up one's abode

établissement (m) establishment, institution, premises

étage (m) floor, floor above ground level, story

étaler to stem, to display, set out, flaunt

état (m) state, condition

état-major (m) (general) staff, staff officer

été (m) summer

étendre to spread, stretch; *s'—* to stretch out, stretch

étendue (f) expanse

étinceler to throw out sparks, to sparkle, glitter

étincelle (f) spark

étique emaciated

étiquette (f) label, ticket, tag

étoffe (f) cloth

étoile (f) star

étonnant(e) astonishing, surprising

étonné astonished

étonnement (m) astonishment, surprise, wonder

étonner to astonish; *s'—* to feel astonished

étouffer to muffle, stifle, suffocate, choke, smother

étrange (adj) strange, odd, queer

étranger (m) stranger; (adj) strange, foreign, unknown

être (m) being, person

être to be, exist; (as auxiliary) to have; *— au point* to be just right; *c'est que* the fact is that, the point is that; *il est* there is, there are; *n'est-ce pas que ...?* isn't that so ...?

étroit(e) narrow

étude (f) study

étudiant(e) student

étudier to study

éveiller to awake(n), to wake up

événement (m) event, occurrence

s'évertuer to do one's utmost, to exert oneself

évidence (f) evidence, clearness, obviousness

évincer to evict, eject, oust

éviter to avoid

évoquer to evoke

exaltation (f) exaltation, excitement

examen (m)   exam
excitant (adj)   exciting; (n m)
   excitant, stimulant
s'excuser   to excuse oneself, to
   apologize
exécuter   to execute, to follow out,
   carry out; to put to death
exercé (adj)   experienced, practiced
exercer   to exercise, perform, exert,
   practice, follow; *s'* —   to practice
exiger   to exact, demand, require,
   to insist upon
exil (m)   exile, banishment
existence (f)   existence, life, state
   of being
exister   to exist
expérience (f)   experiment, test,
   experience
expliquer   to explain, explain away;
   s'—   to express oneself
expressément   expressly, explicitly
exprimer   to express
exquis   exquisite
extérieur (adj)   exterior; (n m)
   outside; *de l'*—   on the outside
externe   external; *étudiant* —
   day-pupil
extrémité (f)   extremity, end, tip,
   point

facile   easy
facilité (f)   easiness, ease, facility
façon (f)   way, fashion, manner
faculté (f)   faculty, capacity;
   school (of a university)
faiblesse (f)   weakness
faïence (f)   earthenware, china
faillir (*faillant, failli, —, faillis*)
   fail; all but . . . , nearly
fainéant   lazy, do-nothing
faire (*faisant, fait, fais, fis*) to do,
   make, give, have, cause to, take,
   require, say; — *attention à*   to
   pay attention to; — *faire*   to have
   someone do something, have something done; — *sa toilette*   to

wash; *se* —   to become; *se* — *à*
   to get used, accustomed to
fait (m)   fact, deed, event, matter
falloir (—, *fallu, il faut, il fallut*),
   to be necessary; have to; need,
   require, take; to be requisite,
   wanting, lacking
fameux, fameuse   great, famous,
   renowned
familier   domestic, familiar
fanfare (f)   flourish, fanfare, brass
   band
fantaisie (f)   fancy
farouche   fierce, wild, savage; shy,
   timid, coy
fatiguer   to tire, weary, fatigue
faubourg (m)   suburb
faute (f)   fault, mistake, moral
   error; — *de*   for lack of
fauteuil (m)   armchair
feindre   to feign, simulate, sham
félicité (f)   felicity, blissfulness
fendre   to cleave, split, rend
fenêtre (f)   window
fente (f)   crack, crevice, split, slit,
   fissure
fer (m)   iron
ferme   firm, stiff
fermer   to close, shut, lock
fermier (m)   farmer
ferraille (f)   old iron, scrap-iron
ferré   iron-shod, hobnailed
fête (f)   feast, festival, holiday
feu (m)   fire, flame, light; — *vert*,
   — *rouge* (m)   stop-and-go lights
feuille (f)   leaf, sheet, page
fi   Fie!
fiacre (m)   hackney, cab
fidèle   faithful, exact
fier   proud
fierté (f)   pride
figurant (m)   walker-on, super-
   numerary
figure (f)   face, figure, form,
   appearance
se figurer   to imagine, fancy
fil (m)   thread, grain, current

file (f)   line; *à la —* in line, two by two

filet (m)   small thread, trickle, streak

fille (f)   daughter, girl

filou (m)   pickpocket, thief, rogue, swindler

fils (m)   son

filtrer   to filter, strain

fin (f)   end, purpose; *à la —* in the end, at last

fin (adj)   fine, first-class, subtle, delicate

finale (m)   finale (of sonata)

financier   financial

finir   to finish, end, conclude; *en —* to get it over with, cut short

fixer   to fix, set, focus (eyes), stare; make firm, determine

flacon (m)   bottle, flask

Flamand(e)   Flemish person; (adj) Flemish

flamme (f)   flame

flanc (m)   flank, side

flâner   to lounge about, stroll

flatter   to stroke, delight, charm, flatter

flèche (f)   arrow

fleur (f)   flower

fleuve (m)   (large) river

flot (m)   wave, cascade, floating

flotter   to float

flux (m)   flow, ebb

foi (f)   faith, belief, trust

fois (f)   time; *à la —* at once, at the same time; *une —* once; *tant de —* so many times

folie (f)   madness, folly, mad jest

fonction (f)   function

fond (m)   depths, back, bottom, far end, foundation, main part; *au —* at the (very) bottom, at heart, on the whole, basically, really; *à —* thoroughly

fonder   to found, set up

fondre   to melt

fonds (m)   estate, business, good will, funds

force (f)   power, force, might; *à — de* by dint of, by means of

forêt (f)   forest

former   to form, mold, train; *se —* to take form, shape

formidable   formidable, tremendous

fort (adj)   loud, strong, large, vigorous; (adv) strongly, very, extremely

fortuit   fortuitous, by chance, casual

fortune (f)   fortune, chance, luck, good luck

fou, folle   lunatic, madman; (adj) foolish, mad

foudre (f)   thunderbolt, lightning

fouet (m)   whip

fouille (f)   excavation

fouiller   to rummage, fumble

foule (f)   crowd, throng

four (m)   oven, kiln

fourmillant   swarming, teeming

fournir   to furnish, supply, provide

fourrure (f)   fur

fraîcheur (f)   coolness, chilliness, freshness, bloom

frais (m)   the cool of the evening, air, cool place

frais, fraîche   fresh

fraise (f)   strawberry

frangé   fringed

frapper   to strike, impress, bang, hit, knock

fraternité (f)   fraternity, brotherhood

frein (m)   brake

fréquemment   frequently

fréquent(e)   frequent, quick, rapid

fréquentation (f)   frequentation, frequenting

fréquenter   to frequent, associate with, visit, attend

fret (m)   freight, chartering, load, cargo

frétillement (m)   wriggling, wagging, quivering

frileux   sensitive to the cold

frisson (m)   shiver, shudder, thrill

frissonner   to shiver, shudder, thrill

froid(e)   cold, chill; (n m) cold;
avoir —   to be cold

fromage (m)   cheese

front (m)   forehead, head, brow

fumée (f)   smoke

fumer   to smoke

fumier (m)   stable-litter, manure, dung; manure heap

furieusement   furiously

furieux   furious, raging, in a passion

furtif   furtive, stealthy

fusillade (f)   fusillade, rifle fire

fusillé   shot, executed

fut   (p s *être*, to be)

gageure (f)   wager, bet

gagner   to win, obtain, reach, earn, gain on, overtake

galanterie (f)   politeness

galbe (m)   curve, contour

galerie (f)   gallery, long room

galonner   to trim, ornament with braid or lace

gamelle (f)   bowl, tin can, mess tin

gamin (m)   street Arab, urchin

gant (m)   glove

gantier (m)   glover

garçon (m)   boy, child, fellow, waiter, bellboy

garde (m)   keeper, watchman

garder   to keep, preserve, hold, have, guard, herd, retain

gardien (m)   guardian, keeper

gare (f)   (railway) station

gargote (f)   low-class restaurant

garni(e)   furnished, garnished

garnir   to furnish, provide, trim

garniture (f)   fittings, trimming, decoration

gars (m)   young fellow, lad

gâter   to spoil, rot

gauche (adj)   left; clumsy, awkward

gauche (f)   left side (direction)

gazouillement (m)   warbling, twittering

géant (adj)   gigantic; (n m) giant

gendarme (m)   soldier of the police militia; constable

gêne (f)   social discomfort, torture, embarrassment

gêner   to make uneasy or uncomfortable, bother, embarrass, annoy; to be in the way; be ill at ease

Genève (f)   Geneva

génie (m)   genius

genou (m)   knee

genre (m)   type, kind, sort, species, fashion, style

gens (m pl)   people, persons

gentilhomme (m)   gentleman

gésir   to lie

geste (m)   gesture, motion, movement

gesticuler   to gesticulate, gesture

gilet (m)   waistcoat, vest, sweater

glace (f)   ice, mirror

glaise (f)   clay, loam

glande (f)   gland

glissant   slippery

glisser   to slide, slip

gond (m)   hinge-pin (of door)

gonflé   inflated, puffed

gorge (f)   throat; bosom

gosier (m)   throat

goût (m)   taste, inclination, liking

goûter   to taste, enjoy, appreciate, relish

goutte (f)   drop

gouttière (f)   gutter, drainpipe

grâce (f)   gracefulness; elegance; charm, grace; favor

grade (m)   rank, dignity, degree

grand(e)   big, older, great, wide, important

Grande-Bretagne (f)   Great Britain

grandeur (f)   size, height, greatness, splendor, bigness

grange (f)   barn
grappe (f)   cluster, bunch
gras, grasse   greasy, fatty, fat, stout, plump, fatted
grave   serious, grave, solemn, sober
graver   to engrave, carve
Grèce (f)   Greece
grenier (m)   attic
grillade (f)   grill, grilled meat
grille (f)   grill, iron gate, railings
grimacer   to grimace, make a wry face
grimoire (m)   black book, scrawl, unintelligible scribble
grimper   to climb
gris(e)   gray
grisâtre   grayish
grogner   to grunt, growl, grumble
gros, grosse   heavy, big, large, fat, coarse, rough
grossier, grossière   crude, vulgar
grossissement (m)   swelling, increase in size
guère   hardly, scarcely, not much (many); *ne ... —*   hardly ... at all, scarcely
guerre (f)   war
guêtre (f)   gaiter, spats

habile   clever, skillful, able
habiller   to dress, to prepare
habit (m)   dress, costume, coat; (pl) clothes
habitant (m)   inhabitant, resident, dweller
habitation (f)   dwelling, abode, inhabiting
habiter   to inhabit, dwell, live in (a place)
habitude (f)   habit, custom, practice; *comme d'—*   as usual
habitué (m)   frequenter, regular attendant, regular customer
habituel   usual
habituellement   customarily, habitually, usually
*haie (f)   hedge

*haillon (m)   rag (of clothing), tatter
*haine (f)   hatred, detestation
*haïr   to hate, detest
*hâlé   tan, tanned
*haleter   to pant, gasp (for breath)
*hall (m)   entrance hall, lounge
*halle (f)   (covered) market
*hanche (f)   hip
*hanter   to frequent, to haunt
*harceler   to harass, worry, torment
*hareng (m)   herring
*hasard (m)   chance, luck, accident, hazard; *par —*   by chance, accidentally
*se hâter   to hasten, hurry
*hausser   to raise; *— les épaules*   to shrug the shoulders
*haut (adj)   high, tall, loud, superior; *à haute voix*   aloud
*haut (adv)   aloud, loudly, loud, high (up); *en —*   above, upstairs; *du —*   from atop, from above
*haut (m)   upper part, height
*hautain   haughty
*hauteur (f)   height, elevation
hébété   dazed, vacant (expression)
hélas (interj)   Alas!
*hennissement (m)   whinnying, neighing
herbe (f)   grass
heure (f)   hour; *demi-heure* (f)   half an hour
heureusement   happily, fortunately
heureux, heureuse   happy, content, glad, fortunate
*heurter   to knock (against), hit, run into
hier   yesterday
*hiératique (hiérarchique)   hierarchical
hirondelle (f)   swallow (bird)
*se hisser   to pull, hoist oneself (up)
histoire (f)   story, history, affair, quarrel, fuss

hiver (m)   winter
*Hollandais (m)   Dutchman
* homard (m)   lobster
homme (m)   man, mankind
honnêteté (f)   honesty
honneur (m)   honor, credit
honorer   to honor; *s'—* to gain
   distinction
horloge (f)   clock
*hors   out of, outside, beyond;
   — de   outside of, beside, beyond,
   out of
hôtel (m)   hotel, mansion, town
   house; *Hôtel de Ville* (m)   town
   hall
hôtesse (f)   hostess
* houle (f)   swell, surge (of sea)
huissier (m)   usher, process server,
   bailiff
*huit   eight
huître (f)   oyster
humain (e) (adj)   human; (n m)
   human being, man
humeur (f)   mood, humor
hymne (m)   song of praise,
   patriotic song, hymn
hypothèse (f)   hypothesis

ici   here, now; *par —*   this way
idiome (m)   idiom, dialect;
   language
ignorer   not to know, be ignorant of,
   be unacquainted with, to ignore
île (f)   island
illuminer   to illuminate, light up,
   enlighten
illustre   illustrious, famous,
   renowned
ilôt (m)   islet, small island
image (f)   image; *à l'— de*   in the
   image of
imaginer   to imagine, think, con-
   ceive, fancy; *s'—*   to think, fancy,
   suppose, to delude oneself
immensité (f)   vastness
immeuble (m)   house, mansion,
   building

immonde   unclean, foul, filthy, vile
impétuosité (f)   impetuosity,
   impulsiveness
implacable   relentless, unrelenting,
   implacable, inexorable
importer   to matter, be important;
   n'importe laquelle   any one what-
   soever, no matter which one; *peu
   importe*   what does it matter;
   qu'importe   what does it matter
importunité (f)   importunity,
   obtrusiveness
imposant   imposing, stately
imposer   to impose, force (upon),
   inflict; *en — à quelqu'un*   to
   impose on someone
impression (f)   printing;
   impression
impressionner   to impress
imprévoyance (f)   want of foresight, improvidence
imprévoyant   wanting in foresight,
   improvident
imprévu (m)   unexpected event,
   character (of event)
imprimer   to print
imprimeur (m)   printer
impropre   unsuited
impudent   immodest, impudent,
   insolent
impulsion (f)   drive, impulse,
   motive
impunément   with impunity
inachevé   unfinished, uncompleted
inattention (f)   carelessness,
   inattention, negligence
incertain (m)   unsure person,
   uncertain person
incliner   to bow, bend, slant, tilt;
   s'—   to bow, bend forward
incommodé   inconvenienced,
   hindered
incommodité (f)   inconvenience,
   discomfort, awkwardness
incompréhension (f)   lack of understanding, obtuseness

inconnu(e) unknown person or thing

inconvenant(e) unseemly, improper

inconvénient (m) disadvantage, drawback

indécis irresolute, uncertain

indicateur (m) guide, directory, pointer, gauge, speedometer

indicible unspeakable

indiquer to point out, indicate

indispensable obligatory, essential

indistinguible indistinguishable

individu (m) individual, person

indûment unduly, improperly

infâme infamous, foul, vile

influer to influence, to have an effect on sth. or s.o.

informe formless, shapeless

s'informer to make inquiries, to inquire about sth.

infortune (f) misfortune, calamity

ingénieux, ingénieuse ingenious, clever

injurier to insult

innombrable numberless, countless

inoccupé unoccupied, idle, vacant

inoffensif, inoffensive harmless, inoffensive

inonder to flood

inquiet, inquiète anxious, uneasy

inquiétant disturbing, upsetting

inquiéter to worry, disturb, disquiet, upset; *s'—* to be worried, be anxious, worry

inquiétude (f) anxiety

inscription (f) registration, enrollment, inscription

inscrire to inscribe, write down, register; *s'—* to sign up, register

insensé mad

insensible unfeeling

insensiblement indifferently, imperceptibly

installer to place, install, move in; *s'—* to establish oneself, settle, to install oneself

instant (m) moment, instant; *à l'—* immediately

institut (m) institute, institution

instruire to inform, teach, instruct

instruit educated, learned

instrument (m) instrument, implement, tool

insu: à notre — without our knowledge

insurgé (m) rebel

interdire to forbid

interdit speechless, dumbfounded, forbidden

intéresser to interest, concern; *s'— à* to be interested in, to be concerned with

intérêt (m) interest, advantage, benefit

intérieur inner, inside; (n m) home

interlocuteur (m) speaker

interroger to question, interrogate

interrompre to interrupt

intime intimate, private

inutile useless, vain

invalide (m) invalid, disabled soldier, pensioner

investir to invest with; garb in

irruption (f) invasion, raid, irruption, overflow

issue (f) end, conclusion, exit, outlet

itinéraire (m) itinerary, route, way, guidebook; (adj) concerning roads or travel

ivre drunk, intoxicated

ivresse (f) intoxication; frenzy, rapture

jadis formerly, once, of old

jaillir to gush, spout, spurt out, shoot forth, spring up

jamais ever, never; *ne ... —* never

jambe (f) leg

jardin (m) garden

jaser to chatter, gossip
jaune yellow
jetée (f) jetty, pier
jeter to throw, toss, cast, throw off;
  — *un regard* to glance
jeu (m) game
jeune (m) young man; (adj)
  young
jeunesse (f) youth, youthfulness
joie (f) joy, delight, gladness
joindre to join, unite, attach, add,
  bring together
joli pretty, pleasing, nice
joliment prettily, nicely, finely
jouer to play, toy; act; play
  (music) ; move freely
jouet (m) toy
joueur (m) player
joug (m) yoke, beam
jouir (*de*) to enjoy
jouissance (f) enjoyment
jour (m) day, daylight
journal (m) newspaper, newspaper
  office, diary
journalier daily
journée (f) day
jouter to joust, fight
joyau (m) jewel
joyeux, joyeuse merry, joyous
judiciaire judicial, judiciary, legal
juger to judge, think, suppose
jurement (m) (profane) swearing,
  oath
jurer to swear, promise
jusqu'à (prep) as far as; even to
juste (adj) just, right, exact, true,
  fair; (adv) just, exactly
justement precisely, exactly, justly,
  rightly

kermesse (f) outdoor country
  festival
kilomètre (m) kilometer (approx.
  ⅝ of a mile)
kiosque (m) newspaper or flower
  stall
klaxon (m) horn (on car)

là (adv) there, in that, then, to
  (on) this point; *là-dedans* in
  there, within; *là-haut* up there
labourer to till, cultivate, esp. to
  plough (land)
lacet (m) shoelace
lâche loose, slack, cowardly, faint-
  hearted
lâchement cowardly, loosely
lâcher to release, slacken, loosen
laid(*e*) ugly
laideur (f) ugliness
laine (f) wool
laisser to leave, let, allow, permit,
  leave alone, let go, release;
  — *faire* to let things drift,
  refrain from interference, let go,
  relax
lait (m) milk
laitière (f) dairy-woman
laitue (f) lettuce
lancer to throw, hurl, send forth,
  fling, cast; *se* — to rush, dash,
  shoot, forward
langage (m) language
langue (f) tongue, language
lapider to lapidate, stone to death
lapin (m) rabbit
large broad, wide, sweeping, large;
  de — in width
largeur (f) width
larme (f) tear
lascif (adj) lascivious, lewd
las tired, weary
laver to wash; *se* — to wash
  oneself, bathe
lecture (f) reading
léger, légère light, slight
légèreté (f) lightness
légitime legitimate, lawful
légume (m) vegetable
lendemain (m) next day, morrow,
  day after
lent(*e*) slow
lentement slowly
leste light, nimble, agile, smart,
  brisk

lettré lettered, well-read, literate (person)

levée (f) embankment

lever to raise, lift; *se —* to get up, rise, get out of bed, lighten, improve (of weather)

lèvre (f) lip

liaison (f) joining, binding, love affair

libéré liberated, released

libre free, available

lie (f) lees, dregs

lier to tie, bind, fasten

lieu (m) place, spot, locality; *au — de* in place of, instead of; *au — que* whereas; *avoir —* to take place

lieue (f) league (= 2½ miles)

limite (f) limit

linge (m) linen, calico

lire to read

lit (m) bed

littéraire (m) well-read, literary person; (adj) literary

livre (f) pound, franc; (m) book

livrée (f) livery, liveried servants

livrer to hand over, surrender, deliver

local (m) premises

localisé localized, local

locataire (m) tenant

loge (f) box (theater), hut, cabin

logement (m) lodgings, dwelling place, housing, accommodation

loger to lodge, place, put, live

logique (f) logic; (adj) logical

logis (m) home, house, dwelling

loin far away, far, distant, remote; *au —* in the distance, afar; *de —* at a distance, from afar; *de — en —* at long intervals

lointain (m) distance, background

loisir (m) leisure

Londres (f) London

long, longue long; *de long* in length; *le long de* alongside

longer to keep to the side of (road, etc.), to keep along (road, walk)

longtemps long, a long time, a long while, for a long time

longue-vue (f) telescope, field glass, spyglass

lorgnette (f) (pair of) opera glasses, field glasses

lorgnon (m) eyeglasses, pince-nez

lors when; *lorsque* when (at the time, moment)

louer to rent

lourd(e) heavy

loyer (m) rent

luisant shining, bright, shiny, glossy

lumière (f) light

lune (f) moon

lunette (f) spyglass; *lunettes* (f pl) eyeglasses

lustre (m) polish, gloss, glaze; chandelier

lutte (f) wrestling, contest, struggle

lutter to wrestle, struggle, contend, fight

luxe (m) luxury, splendor

luxurieux lewd, lustful

lycée (m) secondary school (state supported)

M. (*Monsieur*) Mr., sir

madame (f) Madam, Mrs.; lady

mademoiselle (f) Miss

magasin (m) store; *grand —* department store

magistralement magisterially, authoritatively

magistrat (m) magistrate, justice, judge

magnificence (f) splendor

magnifique magnificent

mail (m) mall, avenue, promenade; sledge hammer

main (f) hand

maint many (a)

maintenant now

mairie (f) town hall, municipal buildings

mais but, why (interj)

maison (f) house; *à la —* at home

maître (m) master

mal (adv) badly, wrong, bad, ill, badly off

mal (m) (pl *maux*) ache, harm, evil, hurt

maladie (f) illness, sickness, disease

malgré in spite of, despite, notwithstanding

malheur (m) misfortune, bad luck

malheureux (m) wretched, unhappy person; (adj) unfortunate, unhappy, wretched, unlucky

malicieux malicious, spiteful

malignement malignantly, spitefully, archly

malpropre dirty, grubby, slovenly

malpropreté (f) dirtiness

maman (f) mother, "mommy"

manchot (m) one-armed, one-handed person

mandat (m) mandate, commission, warrant, money order, draft

mander to send news, to send word to s.o., instruct, summon, send for

manger to eat

manier to feel, handle

manière (f) manner, way

manifester to make known, demonstrate; *se —* to appear, show itself

manne (f) basket, hamper, crate

manoeuvrer to maneuver, operate, handle, work

manquer to miss, want, lack, fail, be missing

mansarde (f) mansard, attic, garret

manteau (m) coat, cape

manuel (m) manual, handbook

maquereau (m) mackerel

marbre (m) marble

marchand (m) shopkeeper, merchant, dealer, tradesman; *— de ferraille* scrap-iron dealer

marchandise (f) merchandise, goods, wares

marche (f) walking, movement, pace, step (of stairway), march, progress, stair; *en —* running, working, in movement

marché (m) market, dealing, buying

marcher to walk, function

mare (f) (stagnant) pool, pond

mari (m) husband

marin (n m) seafaring man, sailor; (adj) marine, nautical

marque (f) mark, marker, tally, reprisal

marronnier (m) chestnut tree

masse (f) mass

masser to mass, form a crowd; massage

massif (m) solid mass, body, clump; mountain mass

masure (f) hovel, shanty

mât (m) mast

matière (f) material, matter, substance, subject, topic

matin (m) morning; *le —* in the morning

matinée (f) morning

matineux early rising

maudire to curse

maudit (e) cursed

maussade grumpy, sulky, surly, sullen, glum, dull, cheerless

mauvais bad, wicked, evil

mécanique mechanical

méchant (m) mean person; (adj) mean, disagreeable, spiteful, bad, evil

médaille (f) medal

médaillon (m) medallion, inset portrait, locket

médecin (m) physician, doctor

méduse (f) Medusa, jellyfish

meilleur better, best

mélange (m) mixing, mixture, blend

mêlée (f) conflict, scramble

mêler to mix, mingle, tangle; *se —* to mix, mingle, interfere

même (adj) same, self, very; (adv) even, moreover, also, likewise

mémoire (f) memory

menacer to menace, threaten

ménage (m) housekeeping, household, family, couple

ménager, ménagère household, domestic, connected with the house

ménager to save, use economically, contrive, arrange

mendiant (m) beggar

mener to lead, take, conduct

menotte (f) little hand, handle, handcuff, link

menton (m) chin

mer (f) sea, ocean

mercantile (adj) mercantile, commercial

merci (m) thank you, thanks

mercier (m) small-ware dealer, haberdasher

mère (f) mother

méritant meritorious, deserving

merle (m) blackbird

merveille (f) marvel, wonder

merveilleusement marvellously, wonderfully

mesquin mean, shabby, petty

mesure (f) measure, proportion, rhythm, moderation, gauge, standard; *à —* in proportion, successively; *à — que* (in proportion) as

métamorphose (f) metamorphosis, transformation

métier (m) trade, profession, vocation, job, craft; loom

mètre (m) meter (= 3.281 feet), ruler, rule

métro (m) subway (in Paris)

métropole (f) metropolis, capital

mets (m) food, dish (of food)

mettre (*mettant, mis, mets, mis*), to put, place, lay, put on, devote, employ, expend, use; *se — à* to begin, set about

meuble (m) piece of furniture; (pl) furniture

meubler to furnish, stock

meunier (m) miller

meurtrier murderous, deadly

mi- half, demi, mid; *à mi-voix* softly, in a weak voice

midi noon

mieux (adv, adj, n) better, best, more, comfortable, rather; *il vaut —* it is better

milieu (m) middle, midst, medium, environment, setting

militaire (m) soldier

militant (adj) militant; (n m) fighter

mille (m) thousand

millier (m) (about a) thousand

million (m) million (francs)

mince thin, slender, slight, slim

mine (f) face, countenance, mien, appearance, look

ministère (m) agency, ministry, minister

minuit midnight

miroir (m) mirror

misérable (adj) miserable, unfortunate, wretched; (m) poor wretch, scoundrel

misère (f) wretchedness, extreme poverty, misery

mitrailler to pepper, rake (an enemy) with machine-gun fire

mitraillette (f) machine gun

mobilier (m) set, suite of furniture

mode (f) fashion, style; (m) mode, mood

modèle (m) model, example, pattern

modeler to model, mold, shape

modique moderate, reasonable

moeurs (f pl) morals, manners,
  customs, habits, ways
moindre less(er), least; *le (la)* —
  least, smallest
moineau (m) sparrow
moins less; — *de* less, least, not
  so (much); *à* — *que* unless;
  au — at least; *du* — at any
  rate, at least
mois (m) month
moitié (f) half; *à* — half
môle (m) mole, breakwater
moment (m) moment, instant,
  occasion, time, point; *au* — *de*
  at the moment when; *au* — *où*
  when, at the moment when;
  du — *que* since
momifié mummified
mondain mundane, worldly, fashionable
monde (m) world, people, society;
  tout le — everybody
mondial (adj) world-wide, world
monnaie (f) money, change, small
  change
monsieur (m) Mr., sir, gentleman
monstre (m) monster
mont (m) mount, mountain
montagnard mountain, highland;
  (n m) mountaineer
montagne (f) mountain
monter to come up, rise, mount, go
  up, climb, climb up, go upstairs,
  carry up, lift up
montre (f) watch
montrer to show, point out, indicate; *se* — to show, show oneself,
  appear, prove, display
se moquer to mock, joke, make fun
  of s.o. or sth.
morale (f) morals, ethics; (adj)
  moral, ethical
morceau (m) piece, portion, bit,
  morsel
morcelé in pieces, cut up
morne dejected, gloomy, bleak,
  dreary

mort (f) death; (m) dead person,
  corpse; (adj) dead
mot (m) word
mouchoir (m) handkerchief
mouiller to wet, moisten, damp; to
  cast, drop anchor
moulin (m) mill, windmill
mourir to die, perish
mousquet (m) musket
moyen (m) means; *au* — *de* by
  means of
moyen, moyenne medium-sized,
  middle, average, mean
moyennant on condition, in con-
  sideration of
muet, muette dumb, mute, silent
mugir to roar, boom, moan
mûr ripe
mur (m) wall
muraille (f) high defensive wall,
  town wall, wall, side
mûrir to ripen, mature
murmure (m) murmur, murmuring,
  babbling
murmurer to murmur, grumble,
  whisper
musée (m) museum
muséum (m) natural history
  museum
se mutiner to rise in revolt, to
  mutiny, to rebel
mystère (m) mystery, secret
mystérieux, mystérieuse mysterious,
  uncanny
mystification (f) mystification,
  hoax, act of mystifying

nager to swim
naguère not long since, a short time
  ago, but lately
nain (m) dwarf, midget
naître (*naissant, né, nais, nacquis*),
  to be born
naïvement innocently, artlessly,
  naïvely
nappe (f) tablecloth, sheet (of
  water, ice, etc.)

narrer to narrate

nature (f) nature, kind, character

naufrage (m) (ship) wreck

naviguer to sail, navigate

néanmoins nevertheless, nonetheless, yet, still

néant (m) nothingness

nécessaire (m) the necessary, the needful

nef (f) nave (of church)

négligemment carelessly, casually, indifferently

négliger to neglect

nègre (m) Negro

nerveux, nerveuse nervous, tense

net, nette clean, spotless, flawless, clear, distinct, clear-cut

neuf, neuve brand-new, new, fresh

nez (m) nose

niaiserie (f) silliness, foolishness

niche (f) niche, nook, recess

nimbus (m) (fam) fuzzy thinker, dreamer

niveau (m) level

nivellement (m) surveying, contouring, leveling

noce (f) wedding, wedding-party

nocturne (adj) nocturnal

Noël (m) Christmas

noir black; (n m) dark

noirci blackened, darkened

noix (f) walnut, nut

nom (m) name

nombre (m) number, quantity

nombreux, nombreuse numerous

nommer to name

nonchalance (f) listlessness, unconcern

nord (m) north

notable (m) person of influence, of standing

notaire (m) notary

nourrir to nourish, feed

nouveau (nouvel), nouvelle new, fresh

nouveauté (f) newness, novelty, change, new invention

nouvelle (f) (piece of) news

nouvellement newly, lately, recently

noyer to drown

noyer (m) walnut tree

nu naked, bare, nude

nuage (m) cloud

nuancer to express faint differences in (character, meaning, etc.)

nudité (f) nudity, nakedness, bareness

nuit (f) night; *la —* at night

nul, nulle not one, no, nobody, worthless

objet (m) object, thing; objective, goal

obliger to compel, oblige, constrain

obliquement aslant, diagonally

obscur obscure, indistinct

obscurité (f) obscurity, darkness

obstiné stubborn, self-willed, obstinate

obtenir to obtain, get, gain

occasion (f) opportunity, occasion, chance

occasionner to occasion, cause, give rise to

occupé busy, occupied

occuper to occupy; *s'— de* to busy oneself (with), be concerned with, take care of, pay attention to

odieux, odieuse odious, hateful

oeil (m) eye, look

oeuvre (f) work, working

offenser to offend

offrir to offer

oiseau (m) bird

oisiveté (f) idleness, leisure

ombrager to shade, overshadow

ombre (f) shadow

onduler to undulate, ripple, wave

opérer to operate, effect

or (conj) now, and so

or (m) gold, gold (color)

orage (m) storm

ordonnance (f) ordinance, order, arrangement, prescription *ordonné* orderly, well-ordered, tidy

ordure (f) dirt, filth, muck

ordurier lewd, filthy, foul

oreille (f) ear

oreiller (m) pillow

orfèvre (m) goldsmith, silversmith

organe (m) organ

orgueil (m) pride, arrogance

oriflamme (f) oriflamme (banner)

ormeau (m) (young) elm tree

ornement (m) ornament, adornment, embellishment

orner to ornament, adorn, decorate

oser to dare

où where, when, in which; *d'—* from where, whence

oubli (m) forgetfulness, oblivion, forgetting

oublier to forget

ouïr to hear

outrage (m) insult, outrage

outre beyond

outre-tombe from beyond the grave

ouvert open

ouverture (f) opening

ouvrage (m) work

ouvreuse (f) usherette

ouvrier (m) worker, workman, laborer

ouvrir to open, face; *s'—* to open

page (f) page; *à la —* to be up-to-date, in the know

paillasse (f) straw mattress, pallet

paille (f) straw

pain (m) bread

paisible peaceful, peaceable, quiet, untroubled

paix (f) peace, tranquillity

palais (m) palace

palier (m) landing (of stairs)

palper to feel, examine (sth.) by feeling

pancarte (f) placard, bill; (show-) card

panier (m) basket

panique (f) panic, scare, stampede

pantalon (m) pants, trousers

papier (m) paper

Pâques (m) Easter

paquet (m) pack

parage (m) birth, descent; paring, trimming

paraître to appear, make an appearance, seem

parapluie (m) umbrella

parcheminerie (f) parchment-trade

parcourir to travel through, wander, ramble, go over, traverse, examine

parcours (m) distance covered, length, run, trip

par-dessus above, beyond

pardonner to pardon, forgive

pareil, pareille like, similar, equal, same, such, alike; *sans pareil* without equal

parent (m) parent, relative

paresseux, paresseuse lazy

parfois sometimes, occasionally, now and then, at times

parfumé perfumed

parlement (m) parliament; high judicial court

parler to speak, talk

parmi among, amid, with

paroisse (f) parish

parole (f) word, utterance, remark, spoken word

parquet (m) floor, flooring

part (f) part, portion, share; *de toutes parts* on all sides, on all hands

partager to share

parti (m) party, decision, choice, course

participer to participate, partake, share

particularité (f) peculiarity

particulier, particulière particular, peculiar, special; *en particulier* privately; particularly

partie (f) game, hand, part

partir to leave, depart, set out

partout everywhere, anywhere
parure (f) adornment
parvenir (*à*) to succeed (in), reach, arrive (at), attain
parvenu upstart, parvenu
parvis (m) square (in front of a church)
pas (m) footstep, step, pace
passablement tolerably, fairly
passage (m) passage, crossing, way, thoroughfare; *au —* en route
passant (m) passer-by
passé (m) past
passer to pass (by, through, over), go (by, through), cross, follow along, walk by, draw across, spend (of time); *se —* to happen, occur, take place, cease, do without; *— en revue* to review
passionné passionate, having a passion for
patrie (f) fatherland, homeland
patte (f) paw, foot, leg
paupière (f) eyelid
pauvre poor, wretched, needy
pauvreté (f) poverty
pavé (m) pavement; paving-stone
payer to pay, pay for
pays (m) country, region, countryside
paysage (m) landscape, scenery
paysan peasant, rustic
peau (f) skin, hide
péché (m) sin
pécule (m) savings, store of money, nest-egg
peigner to comb
peindre to paint, depict
peine (f) trouble, anxiety, pain, effort, difficulty, penalty, punishment, sorrow; *à —* hardly, barely, scarcely
peintre (m) painter
peinture (f) paint, painting
pêle-mêle (m) jumble, medley, confusion

pencher to lean (over), bend; *se —* to lean, bend
pénétrer to go in, penetrate, enter
péniblement laboriously, painfully
pensant intellectual
pensée (f) thought
penser to think, intend; *— à* to think of (about); *— de* to have an opinion of
pension (f) allowance, boarding house
perçant piercing, penetrating, shrill
perdre to lose, waste
père (m) father
péril (m) danger, risk, peril, hazard
périodiquement periodically
perle (f) pearl
permettre (*permettant, permis, permets, permis*), to permit, enable, allow
perpendiculairement perpendicularly, straight down
perron (m) flight of steps, perron
perruque (f) wig
persan Persian
personnage (m) character (in a play), personage, person of distinction, person, individual
personne (f) person, body; (pron) anybody, nobody; *—...ne* no one, nobody, not anybody
perspective (f) prospect
persuader to persuade, convince, to induce s.o. to do sth.
perte (f) loss
pétillement (m) sparkling, fizz(ing), bubbling
petit small, little, slight; (n m et f) young fellow, little girl, my dear
peu little, a little, somewhat, not very; *— à —* bit by bit, gradually; *— de* little, few, a few; *à — près* about, approximately; *un —* a little, somewhat
peuple (m) people, the common people, nation

peupler to people, populate
peur (f) fear; *avoir —* to be afraid; *faire — (à)* to frighten
peut-être perhaps, maybe
phare (m) headlight, lighthouse
phénicien Phoenician
phrase (f) sentence
physicien (m) physicist; natural philosopher
physionomie (f) physiognomy, face, countenance, appearance
physique (m) physique; (adj) physical
picard from Picardy
pièce (f) room; piece; (theater) play; coin
pied (m) foot; *à —* on foot
piédestal (m) pedestal
pierre (f) stone, rock
piétinement (m) trampling, stamping
piéton (m) pedestrian
piller to pillage, plunder, loot, steal
piloter to pilot, fly
pince (f) grip, hold, holder, gripper, claw, nipper
pinceau (m) paintbrush
pincer to pinch; (fam) catch, arrest
piocher to dig
pire (adj) worse; (m) worst
pis (adv) worse
piste (f) track, trail, scent
pitié (f) pity
placard (m) wall-cupboard, closet; poster, bill
place (f) square; place, spot; job
plafond (m) ceiling
plaindre to pity; *se —* to complain
plainte (f) wail, lament, complaint, moan, groan
plaire to please, suit; *s'il vous plaît* please; *se —* to take pleasure, to be pleased, happy; *se — à* to enjoy

plaisanterie (f) joke, practical joke, jest, joking
plaisir (m) pleasure
plan (m) plane, plan, scheme, project, design
planche (f) board, plank
plancher (m) (boarded) floor
planer to soar, hover, float, glide
se planter to stand, take one's stand (firmly)
plaque (f) plate, sheet, slab, plaque, tablet, badge
plat (m) dish, plate of food; (adj) flat
plâtre (m) plaster
plein full, filled, plentiful
pleurer to cry
pleuvoir to rain
plonger to dive, plunge, commence
pluie (f) rain
plume (f) pen, pen point, feather
plupart (f) the most, the greatest or greater part or number
plus more, besides; *— de* more than; *de —* more, more than that; *de — en —* more and more; *ne … — personne* no longer anybody; *une fois de —* once more, once again; *— ou moins* more or less; *— … —* the more … the more
plusieurs several, some
plutôt rather, sooner
poche (f) pocket
poêle (m) stove
poésie (f) poetry
poids (m) weight
poignet (m) wrist
point (m) point, stage, extent, degree; *à ce —* to the point of, to the extent that, to such a degree; *à —* ready, ripe; *au —* perfect, ready, just right
poire (f) pear, flask
poisson (m) fish
poissonnier (m) fishmonger
poli polite, civil

politesse (f) politeness

politique (f) policy, politics

pomme (f) apple

pompe (f) pomp, ceremony, display

pont (m) bridge

populaire popular, working-class

porte (f) gate, gateway, door

portée (f) reach, distance; litter, bearing; span, range

porter to carry, bear, take, bring, wear, raise, set, induce, prompt; *se —* to proceed (to a place); *se bien —* to be in good health

porteur (m) porter; *— d'eau* water-carrier

portière (f) porter, janitor, door-keeper

poser to set (down), place, put (forth), pose, (of questions) ask

posséder to possess, own

poste (f) post, post office

poste (m) post, station, place, position

pot (m) pot, jug, ewer, can, jar

poudre (f) powder

pourboire (m) tip

pour cent (m) percentage, per cent

pourpré purple or crimson

pourquoi why

poursuivre to pursue, continue, go after, chase, proceed with

pourtant however, (and) yet, still, nevertheless

pourvoir (*à*) to provide, attend (to), supply, furnish, equip

poussée (f) thrust, pushing, sprouting, growth

pousser to push, impel, drive, grow, utter; *— un cri* to scream

poussière (f) dust

pouvoir (*pouvant, pu, peux, pus*), can, may, to be able; *il se peut* it is possible

pratiquement practically, usefully

précaire precarious, delicate

précédent previous, former

précéder to precede, go before, have precedence of s.o.

précieusement preciously, carefully

précipiter to precipitate, throw down, hurry, hasten

précis (m) abstract, summary

précisément precisely, exactly

préciser to specify, state precisely

précoce precocious, early, forward

préfet (m) prefect; chief commissioner of the (Paris) police

préjugé (m) presumption, prejudice

prendre (*prenant, pris, prends, pris*), to take (on) (hold of), get, catch, assume

près near, by, close; *— de* near (to), close (to), nearly, almost; *à peu —* about, approximately; *tout —* quite near

presque almost, nearly, hardly, scarcely

pressentir to have a presentiment

presser to press, embrace, urge, hurry, push, squeeze; *se —* to press, crowd, throng, hurry, make haste

prestige (m) prestige, fascination, marvel, glamor, high reputation

prétendre to claim, mean, intend, require, maintain, assert, lay claim to sth.

preuve (f) proof, evidence

prévenir (*prévenant, prévenu, préviens, prévins*), to forestall, forewarn, inform, warn

prévenu (m) accused

prie-Dieu (m) kneeling stand, prayer stool

prier to pray, ask, beg, request, beseech

prière (f) prayer, request; *— de ne pas ...* please do not ...

primitif (m) savage; primitive, original, earliest, crude person or thing

principe (m) principle

printemps (m)   Spring
pris   (p p *prendre*, to take)
prise (f)   hold, grasp, setting, capture
prisonnier (m)   prisoner
privation (f)   deprivation, hardship
priver   to deprive s.o. of sth.; *se —* to do without sth., to deny oneself sth.
privilégié   privileged, licensed
prix (m)   price, prize
procédé (m)   proceeding, dealing, conduct, process, method
procureur (m)   lawyer
prodigieux   prodigious, stupendous
produire (*produisant, produit, produis, produisis*), to produce
produit (m)   product
profiter   to take advantage (of), avail oneself of, profit
profond   profound, deep
proie (f)   prey
projeter   to project, throw, plan, contemplate
prolonger   to prolong, extend, draw out
promenade (f)   walk, walking, stroll, outing
promener   to take for a walk, for a drive, etc.; *se —*   to (take a) walk, to go for a walk, drive, or ride
promesse (f)   promise
promettre   to promise
prononcer   to pronounce
propos (m)   purpose, subject, utterance, remark
proposer   to propose, offer
propre (adj)   own, clean, neat, decent; *— à*   fit for, good for
propreté (f)   cleanliness, neatness, tidiness
propriétaire (m)   owner, proprietor
propriété (f)   property, characteristic
protestation (f)   protest, protestation

prouver   to prove, show proof
provenance (f)   source, origin, produce
province (f)   the provinces, the country
provision (f)   provision, store, stock, funds, reserves
provisoire   provisional, temporary
provoquer   to provoke, cause
puant   stinking, ill-smelling
puce (f)   flea
pudeur (f)   modesty, sense of decency
puis   then, next, afterwards
puisque   since, as, seeing that
puissance (f)   power, force, strength
puissant   powerful, mighty, strong
pur   pure; clean
pygmée (m)   pygmy

quai (m)   quay, wharf, pier, embankment (along river)
qualité (f)   quality; good trait
quand   when, while, even if; *— même*   just the same
quant à   as to, as for
quantité (f)   quantity; abundance, lot
quartier (m)   section (of city), quarter, district, neighborhood
quelquefois   sometimes, now and then, occasionally
quelqu'un   somebody, anybody, someone, one
quête (f)   quest, search
quêter   to seek, search for
queue (f)   tail, long line; *faire la —* to stand in line
quitter   to leave, take off, remove
quoique   although
quotidien, quotidienne   daily, everyday

rabattre   to reduce, diminish
raboteux   rough, uneven
raccommodage (m)   darning, mending

racheter to repurchase, redeem
racontar (m) gossip
raconter to say, tell, relate, recount
radeau (m) raft
radieux, radieuse radiant, dazzling, beaming (with joy)
radio (f) radio, x-ray
radio (m) radio operator
raffermir to strengthen, reinforce, fortify, restore
raffiné refined
raffinement (m) refinement
raideur (f) stiffness, tightness
raison (f) reason
raisonnable reasonable
raisonnement (m) reasoning
ramasser to gather, collect, pick up
ramener to bring back, bring around
rampe (f) slope; railing
ramper to creep, crawl, grovel
rancune (f) rancor, spite, malice, grudge
rang (m) row, line; rank
rangée (f) row, line
ranger to arrange, tidy; *se —* to line up, stand aside
ranimer to revive, restore to life
rapide quick, swift, fast, rapid
rappeler to remind, remember, recall; *se —* to remember, recollect
rapport (m) report, relation, correspondence, connection
rapporter to bring back, return, relate
rapprochement (m) bringing together, comparison
rapprocher to bring together, join; *se —* to come near again
raser to shave; raze; bore (someone)
rasoir (m) razor
rassasier to satisfy, to satiate
rassembler to collect, muster, gather up, assemble

rassurer to reassure
rater to miss, fail
rattraper to catch up, recover
ravir to ravish, delight
rayer to scratch, stripe
rayon (m) ray, radius
se réaliser to come true
rebord (m) edge, border, ledge
recevoir (*recevant, reçu, reçois, reçus*), to receive; be host to; take, get
recharger to reload
recherche (f) search, research
rechercher to seek (after), search for
récif (m) reef
réciproquement reciprocally, conversely
récit (m) tale, narrative
récolter to harvest, collect
recommander to recommend, advise
recommencer to begin again
reconduire to escort, see (s.o.) home, to accompany (back to a place)
reconnaissable recognizable
reconnaissance (f) gratitude, recognition
reconnaître to recognize, acknowledge
recours (m) recourse, resort
recouvrir to cover up again
récréation (f) recess, recreation
se récrier to exclaim (in admiration), protest (against sth.)
recueillir to collect, gather
redescendre to go down again
rédiger to draft, write, edit
redingote (f) frock-coat
redoubler to increase, redouble; *— une classe* repeat a class
redresser to re-erect, right, rectify
réduire to reduce, diminish, curtail
réel, réelle real, actual
refaire to do again, remake
réfléchir to reflect
refléter to reflect, send back (light)

reflux (m)   reflux, ebbing (of tide)
se réfugier   to find shelter
regagner   to regain, recover, return (to a place)
regard (m)   glance, look, gaze
regarder   to look (at), watch, regard, concern
registre (m)   register, account book, tone quality (in music)
règle (f)   rule, ruler
réglé   regular, steady, methodical
réglementaire   statutory
réglementairement   in the prescribed manner
régler   to rule, regulate, settle (accounts), to resolve the question
règne (m)   reign
régner   to reign
regretter   to regret, miss, be sorry (for)
régulier, régulière   regular, punctual
reine (f)   queen
rejoindre   to rejoin, reunite
relever   to raise, pick up, raise again
relieur (m)   bookbinder
relire   to reread
reliure (f)   book binding
se remarier   to remarry
remarquable   remarkable
remarque (f)   remark
remarquer   to notice
remède (m)   remedy, cure
remercier   to thank
remettre   to put back, deliver, postpone; *se —*   to recover (from sth.)
remonter   to go up again, to go back to (through), come back up, rise, wind up
rempailler   to cane (a chair)
remplir   to fill
remporter   to carry back, carry off, achieve
remuer   to stir, move
rencontre (f)   meeting, encounter
rencontrer   to meet, encounter, find
rendez-vous (m)   rendezvous, appointment, date

rendre   to return, give back, give, render, offer, make; *se —*   to go, proceed (to a place), surrender, give in
renfermer   to include, contain, enclose
renforcer   to reinforce, strengthen
renommée (f)   fame
renouer   to renew, resume
renouveler   to renew
rente (f)   revenue, pension, annuity, allowance, income
rentrer   to re-enter, go or come again, go home, go back in, return
renverser   to knock over, upset, overturn, invert, reverse
renvoyer   to send back, return, discharge (an employee)
se répandre   to spill, spread
reparaître   (*reparaissant, reparu, reparais, reparus*), to reappear
réparateur   restoring, refreshing, repairing
réparer   to repair, mend, make atonement
repartir   (*repartant, reparti, repars, repartis*), to set out again, go again
repas (m)   meal
repasser   to pass again, iron, press
répéter   to repeat
replier   to fold up again
replonger   to plunge (sth.) in again, to dive in again
répondre   to answer, reply
repos (m)   rest, peace, repose
reposer   to rest, lie; *se —*   to rest, repose, take a rest
repousser   to push back sth., to sprout again (plant)
reprendre   (*reprenant, repris, reprends, repris*), to take back, get back, take again, start again, resume, continue, reply, speak again, revive
représenter   to present again, represent, perform, act

repris (p p *reprendre,* to take back, start again)

réserve (f)   reserve, caution, reservation

réservé   guarded, cautious, shy, reserved

se réserver   to hold back, wait (for sth.)

résigner   to resign, renounce; give in

résistant (m)   member of the Resistance

résolu (p p *résoudre,* to resolve)

résonner   to resound, ring, clang

résoudre   to resolve

respectueux   respectful

respirer   to breathe

resplendir   to be resplendent, shine, glitter

ressemblance (f)   resemblance, likeness

ressembler (*à*)   to resemble; *se —* to be very much alike

ressentir   to feel, experience

ressort (m)   spring

ressource (f)   resource

restaurateur (m)   keeper of a restaurant

reste (m)   rest, remainder, leftover; *du —* besides, moreover

rester   to stay, remain, be left

résultat (m)   result

résumer   to summarize

rétablir   to re-establish, restore, set up again

retard (m)   delay

retenir   to hold back

retentir   to resound, echo, ring

retirer   to draw from, withdraw; *se —* to retire, withdraw

retourner   to return, go back, turn over, turn around, turn inside out, return sth.

retraite (f)   withdrawal, retirement, retreat, refuge

retremper   to soak, steep again, tone, brace

rétribution (f)   remuneration, salary

retrouver   to find (again) ; *se —* to meet again, find oneself again

réunion (f)   reunion, meeting, gathering

réunir   to bring together

réussir   to succeed

rêve (m)   dream

réveiller   to wake up (s.o.), awaken; *se —* to waken, wake up

se révéler   to reveal oneself

revendre   to resell

revenir (*revenant, revenu, reviens, revins*), to go back, come back, return, recur

rêver   to dream

réverbère (m)   street lamp

rêverie (f)   reverie, musing

rêveur (m)   dreamer

revivre   to live again, to relive (the past)

revoir (*revoyant, revu, revois, revis*), to see again, revise

révolutionnaire (n et adj)   revolutionary, revolutionist

revue (f)   review, inspection

ricaner   to sneer, smirk, snicker

richesse (f)   wealth, riches

ricochet (m)   rebound

ride (f)   wrinkle

rideau (m)   curtain

rigoler   to joke, turn matters into a joke, laugh

rimer   to versify, rhyme

rincer   to rinse

riposter   to retort

rire   to laugh, jest; *— de* to laugh at

risque (m)   risk

risquer   to risk, venture

rivage (m)   shore, bank

rive (f)   bank, shore

rivière (f)   river

robe (f)   dress, robe

robuste   robust, sturdy, stout

rocher (m)   large rock
rôder   to prowl, roam, wander
roi (m)   king
Roi-Soleil (m)   Louis XIV
rôle (m)   roll; part, rôle
Romain (m)   Roman
roman (m)   novel
rompre   to break
rose (adj)   pink
rôti (m)   roast
roue (f)   wheel
rouge   red
roulement (m)   rolling, rumbling, rattle
rouler   to roll, rotate; — *en voiture* to drive
route (f)   road, highway, way
royaume (m)   kingdom
royauté (f)   royalty, dominion
rue (f)   street
ruelle (f)   alley, small street
rugir   to roar
ruisseau (m)   gutter (of street), brook, stream
rumeur (f)   confused or distant murmur, rumor, report
ruse (f)   ruse, trick, trap, stratagem
russe   Russian

sable (m)   sand
sabot (m)   hoof, wooden shoe, clog
sac (m)   bag, handbag, sack
sacré   sacred
sacrifier   to sacrifice
sage (m)   wise man
sagesse (f)   wisdom, prudence, good behavior
saillant   outstanding
sain   healthy, sound
sainteté (f)   holiness, saintliness
saisir   to grasp, seize
saisissement (m)   seizure, surprise, shock
sale   dirty, grayish, foul, low
saleté (f)   dirty thing, filth
salle (f)   hall, large room

salon (m)   drawing room
saluer   to salute, greet
sang (m)   blood
sanglant   bloody
sanglier (m)   wild boar
saper   to undermine
sauter   to jump
sauvage   wild
sauver   to save, rescue; *se* — to escape
savant (m)   scientist, scholar; (adj)   scholarly, wise
savoir   to know how, know about, be able, be aware
savonner   to soap, wash in soap and water
Scandinave   Scandinavian
séance (f)   sitting, meeting, performance
séant (m)   behind, posterior
sec, sèche   dry, thin
sécheresse (f)   dryness, draught
secouer   to shake
sécurité (f)   security, safety
séduire   to seduce
séduisant   seductive, tempting, attractive
seigneur (m)   lord
séjour (m)   stay, sojourn, visit
selon   according to
semaine (f)   week
semblable   alike, similar, like
sembler   to seem, appear; *il lui sembla* it seemed to him
semer   to sow, disseminate
sens (m)   sense, direction
sensible   sensitive
sentiment (m)   feeling, sensation
sentinelle (f)   sentry
sentir   to feel, perceive, sense, be conscious of, smell; *se* — to feel, feel oneself
séparer   to separate
serge (f)   woolen serge
sergent (m)   sergeant
serpenter   to wind, curve
serrer   to squeeze, hug, grasp tightly

service (m)   favor, service; — *de table*   dinner service, set; *rendre — (à)*   to do a favor (for)

serviette (f)   towel, napkin

servir (*servant, servi, sers, servis*), to serve, be of service or use; — *de*   to serve as

servitude (f)   servitude, slavery

seuil (m)   threshold, doorsill

seul (adj)   only, alone, sole, single, mere; *le —*   the only one

seulement   only, merely, even, at least

siècle (m)   century

signe (m)   sign, gesture, mark

signifier   to mean, signify

silencieux, silencieuse   quiet, silent

simultanément   simultaneously

singe (m)   monkey

singulier, singulière   singular, strange, peculiar, uncommon

singulièrement   peculiarly

sinon   if not, except, otherwise

sirène (f)   siren, mermaid

situer   to place, situate, locate

société (f)   society

socle (m)   pedestal

soeur (f)   sister

soie (f)   silk

soif (f)   thirst; *avoir —*   to be thirsty

soin (m)   care, attention

soir (m)   evening; *le —*   in the evening

soirée (f)   evening

sol (m)   ground, soil

soldat (m)   soldier

soleil (m)   sun

soliloque (m)   soliloquy

solitaire (m)   solitary person; (adj)   solitary, alone

sombre   dark, gloomy

somme (f)   sum

sommeiller   to doze

son (m)   sound

songer (à)   to muse, think, dream, reflect, intend

sonner   to ring (for), sound

sonneur (m)   bell-ringer

sonore   sonorous

sort (m)   destiny, fate, spell

sorte (f)   sort, kind, manner, way; *de — que*   so that; *en — que*   so that

sortir   to come out, go out, get out, issue, take out, bring out

sot, sotte   idiotic, foolish; (n)   foolish person

sou (m)   1/20 of a franc (5 centimes) ; (fig) money

souci (m)   anxiety, worry

se soucier   to trouble oneself, care

soudain   sudden, suddenly

souffrant   unwell, poorly, sick

souffrir (*souffrant, souffert, souffre, souffris*), to suffer

souhait (m)   wish

souhaiter   to wish

soulever   to raise, lift; *se —*   to rise in revolt

soulier (m)   shoe

soupçon (m)   suspicion, hint

souper (m)   supper

souper   to have supper

soupirer   to sigh

source (f)   source, spring

sourd-muet (m)   deaf-mute

souriant   smiling

sourire (m)   smile

sourire (*souriant, souri, souris, souris*), to smile

souris (f)   mouse

sous-marin (m)   submarine

soutenir   to sustain, support, hold up; *se —*   to support, maintain oneself; to hold up, keep up, last, continue

souvenir (m)   memory, remembrance; *se —*   to remember

souvent   often, frequently

souverain (m)   sovereign

spectacle (m)   spectacle, show, play

spirituel   spiritual, witty, humorous

spontané   spontaneous

spoutnik (m)   sputnik

square (m)   public square (with garden)

stage (m)   period of instruction, probation

stationner   to park, stop

statique (f)   static, statics

studieux   studious, bookish

stupéfait   amazed

stupéfier   to amaze

subalterne   subordinate

subir   to submit, undergo, sustain

subit   sudden

subjuguer   to subdue

subsistance (f)   sustenance, subsistence

subsister   to subsist, to be still in existence

substance (f)   material, substance

subtil   subtle

subvention (f)   subsidy

succéder   to succeed, follow after s.o. or sth.

succès (m)   success

sud (m)   south

suffire   to suffice, satisfy, be enough

suffisant   sufficient, adequate, enough

suggérer   to suggest

Suisse (f)   Switzerland; (n) Swiss person

suite (f)   that which follows, continuation, consequence; *dans la —* subsequently; *de —* in succession; *tout de —* at once, immediately, right away

suivant   following, next; (prép) take a course according to

suivre   to follow; *— un cours* to

sujet (m)   subject; *au — de* concerning, about

superbe   magnificent, superb

superfin   of extra quality, superfine

supporter   to support, bear, endure

supposer   to suppose, assume, imagine

supprimer   to suppress, do away with

sur (adj)   sour, tart

sûr (adj)   sure, certain, safe; (adv) surely, certainly; *bien —* certainly

surmonter   to surmount, rise above

surprendre   to surprise, take or catch unawares

surpris   (p p *surprendre*)

surtout   above all, especially, particularly

surveillance (f)   supervision

surveiller   to supervise, watch over

suspect   suspicious, suspect

suspendre   to hang up, suspend

sympathique   likable, congenial, attractive

syncope (f)   faint, fainting fit, swoon; *tomber en —* to swoon, faint

tableau (m)   picture, board, painting

tablette (f)   shelf, writing tablet, slab

tabouret (m)   high stool, footstool

tache (f)   stain, spot

tâche (f)   task

tâcher (*de*)   to try, strive, endeavor, toil

taille (f)   height, size, waist

tailler   to cut, hew, operate on, tax

tailleur (m)   tailor, suit

se taire   to be silent, to hold one's tongue

talon (m)   heel

talus (m)   slope, bank, embankment, ramp

tambour (m)   drum

tandis que   while, whereas

tant   so much (many), so, so much so; *— que* so (as) long as

tante (f)   aunt

tapage (m)   (loud) noise, din, uproar

taper   to tap, strike, hit

tapis (m)   cloth, cover, carpet, rug

taquiner   to bother, torment, tease, plague

tard   late

tarder   to delay, be long in

tardif, tardive   tardy, belated, late

tas (m)   heap, pile

se tasser   to settle, set, sink, crowd (up) together, bunch

taudis (m)   miserable room, hovel

teint (m)   tint, shade, color of skin, complexion

teinte (f)   tint, shade, hue

tel, telle   such, such as; *tel que* such as, just as; *tel qui* such is he who

tellement   in such a manner, so, so much, in such a way

témoignage (m)   testimony, evidence, hearing

témoigner   to bear witness, testify

témoin (m)   witness

tempête (f)   storm

temps (m)   time, weather; *de — à autre* from time to time; *de — en —* from time to time; *en même —* at the same time

tendre (adj)   tender, sensitive, gentle

tendre   to hold out, strain, stretch, tend, lead

tenir (*tenant, tenu, tiens, tins*), to keep, hold (out), last, occupy; *— à* to value, prize, insist on; *il n'y tient plus* he can't stand it any longer; *savoir à quoi s'en —* to know what one is dealing with; *s'en — à* to be satisfied with; *se —* to stand, to keep, be, remain, sit; *se — à* to hang on, stick to, keep at; *tenez!* here! here you are!

tenter   to attempt, try, tempt

terminer   to end, finish

terrain (m)   ground, piece of ground, plot

terrasse (f)   terrace, bank

terre (f)   earth, ground, land, the world

terre-plein (m)   open space, terrace, earth platform, raised strip of ground (with trees, etc.)

terreur (f)   terror, fear, dread

territoire (m)   territory

tête (f)   head

tiens (interj)   hullo! to be sure! indeed? well, well!

tiers (m)   third (part, person, party), a third

tirailleur (m)   skirmisher, sharp-shooter

tirer   to draw, pull, take out, fire; *— parti de* to make use of, to turn something to account

tireur (m)   one who draws, drawer, shooter, marksman

titre (m)   title

toile (f)   canvas

toilette (f)   dress, outfit; *faire sa —* to wash, to dress

toit (m)   roof

toiture (f)   roofing, roof

tombe (f)   tomb, grave, tombstone

tombeau (m)   tomb, monument (over grave or vault)

tombée (f)   fall (of rain, night, etc.)

tomber   to fall

ton (m)   tone

tordre   to twist, wring

tordu   twisted

tort (m)   wrong, error, fault, injury, harm, injustice

toucher   to touch, receive (money, etc.)

touffu   bushy, thick, thickly wooded

toujours   always, ever, still, continually, all the same, just the same

tour (f)   tower

tour (m)   turn, tour, trick, circumference, circuit; *— à —* in turns, by turns

tourbillon (m)   whirlwind, swirl, eddy, whirlpool

tourmenter   to torment

tourner to turn, spin, fashion, shape

tous (les) deux both (of them)

tout à coup suddenly

tout à fait quite, entirely, altogether

tout le monde everybody

toutefois yet, nevertheless, however

traduire to translate

train (m) train; pace; *en — de* in the act of, busy at

traîner to drag, pull, trail, haul, draw along, loiter, delay; *se —* to crawl, drag oneself along

trait (m) line, trait, feature, episode

traître (m) traitor; (adj) treacherous, dangerous

tranchée (f) trench, drain

tranquille calm, still, quiet; alone

transiger to compound, compromise

trappe (f) trap, trap door

traquer to beat, beat up (for game), enclose, hem in, track down

travail (m) work

travailler to work, toil

travailleur (m) worker; (adj) working, laboring

travers (m) breadth, across; *à —* across, through sth.

traverser to cross, traverse, walk through

traversier, traversière cross, crossing; *rue traversière* cross-street

trébucher to stumble, totter, stagger

trépigner to dance, prance, with rage; to trample down

trésor (m) treasure

tribunal (m) tribunal, bench, court, magistrates

tricolore (m) the French flag; (adj) tricolor(ed)

triomphant triumphant, exulting

triste sad, dismal

tristesse (f) sadness, melancholy

trompe (f) trunk, proboscis, trump, horn

tromper to deceive, be unfaithful; *se —* to make a mistake, be mistaken, be wrong

tronc (m) trunk

trotteur (m) trotter, quick walker

trottoir (m) sidewalk

trou (m) hole

trouble (m) confusion, disorder

troubler to disturb

troupe (f) theater troupe, group, band, company, throng, troup

troupeau (m) herd

trousseau (m) bunch (of keys); outfit, trousseau

trouver to find, judge, think (something) to be; *se —* to be, be located, happen to be, find oneself, to happen, to turn out

tuer to kill, slay

tuile (f) (roofing) tile

tuilerie (f) tile-works

tumulte (m) turmoil, uproar, confusion

tumultueux tumultuous, noisy, riotous

tutoiement (m) use of the familiar "tu" form

tutoyer to use the familiar form of address, "tu"; to address as "tu" and "toi," to be on familiar terms with s.o.

tuyau (m) pipe, tube; hint

uni united, harmonious, even

unique sole, single, unrivaled

unir to unite

usage (m) usage, habit, use, using, employment, custom, practice

user to make use of, wear out, consume, to use sth.; *s'—* to wear (away)

usine (f) factory

utile useful

utilement usefully, advantageously, with advantage, profitably

utopique utopian

vacarme (m)   uproar, din, racket, hubbub

vache (f)   cow

vague   vague, formless

vain   vain, ineffectual, useless, sham, unreal

vainqueur (m)   victor, conqueror; (adj) vanquishing, conquering

vaisseau (m)   vessel

valeur (f)   value, worth

vallée (f)   valley

valoir   to be worth, be as good as, be equal to; — *mieux*   to be preferable, be better

vanité (f)   vanity, conceit, vainglory

vaniteux, vaniteuse   vain, conceited

vanter   to boast

varié(e)   varied

variété (f)   variety, diversity, variedness

vaste   vast, wide, immense, spacious

vaudeville (m)   topical or satirical song, vaudeville

veille (f)   state of being awake; night before, eve

veiller   to watch over, take care of

velours (m)   velvet

vendeur, vendeuse   seller, salesman, saleswoman

vendre   to sell

Vendredi-Saint (m)   Good Friday

vénérable   worthy of worship

venir   to come; — *de*   to have just

vent (m)   wind; *en plein* —   in the open air

ventre (m)   belly, stomach; *à plat* —   flat on the stomach (crawling or lying)

verdi(e)   having become green, tarnished

verdure (f)   verdure, greenery

véritable   true, authentic

vérité (f)   truth

vermicelle (m)   vermicelli

verre (m)   glass

verrue (f)   wart

versant (m)   slope, side, bank

vert   green

vertige (m)   vertigo, dizziness

vertu (f)   virtue

vertueux   virtuous

vestale (f)   vestal (virgin)

vestiaire (m)   cloakroom, hat-and-coat rack

vêtement (m)   clothing; (pl) clothes

vétérinaire (m)   veterinary

vêtir   to dress; *bien-vêtu*   well-dressed

veuve (f)   widow

vide   empty; (n m) void

vider   to empty

vie (f)   life, living, existence

vieillard (m)   old man

vieillir   to age, grow old

vierge (f)   virgin

vieux (*vieil*), *vieille*   old, ancient

vif, vive   alive, living, fast, lively, sharp

vigne (f)   vine

vignette (f)   illustration, ornamental border

vilain   nasty, bad, unpleasant

villa (f)   villa, suburban residence

ville (f)   city, town

vin (m)   wine

vinaigre (m)   vinegar

virilité (f)   virility, manliness

vis-à-vis   opposite, facing; — *de*   in regard to

visage (m)   face, countenance

viser   to aim

visiblement   visibly, obviously

visite (f)   visit, call; *être en*—   to be visiting

visiter   to visit; examine, inspect

vite   quickly, fast

vitre (f)   pane (of glass)

vitrier (m)   maker or seller of window glass

vitrine (f)   shopwindow, glass case, showcase

vitupérer to vituperate, blame

vivant living, alive; (n) living person

vivat (n m et interj) hurrah

vive alive, living, lively

vivement quickly, sharply, vigorously

vivre to live

vocation (f) vocation, calling

voeu (m) vow, wish

voici here is (are), there is (are), see here

voie (f) way, road, track

voir (*voyant, vu, vois, vis*), to see

voisin neighboring; (n) neighbor

voiture (f) car, carriage, railway car

voix (f) voice; *à haute* — aloud

volage fickle, inconstant, flighty

volée (f) flight, flock, volley

voler to steal, fly

volet (m) shutter, blind

voleur, voleuse thief

volontaire (m) voluntarily enlisted man, volunteer; (adj) voluntary

volonté (f) will, will power

volontiers willingly, gladly, with pleasure

voltiger to fly about, to flit

volupté (f) delight, pleasure

vouloir to want, will, wish, desire, choose; expect; — *dire* to mean; *en* — *à quelqu'un* to hold a grudge against someone

voûte (f) vault, arch

voyage (m) trip, journey

voyager to travel

voyageur (m) traveler, passenger

vrai true, real, genuine; *à* — *dire* in truth; *pour de* — really

vu (p p *voir*, to see)

vue (f) sight, view

vulnérable (m) vulnerable person

w. c. = water-closet (m) water closet, w. c., toilet

yeux (m pl) (m sing *oeil*) eyes

zèle (m) zeal, ardor

zélé zealous

zigzaguer to drive erratically

zone (f) zone, belt, suburban area